Cétacia

Tome I
Le fils de la baleine

MEL GOSSELIN

CÉTACIA

Tome I
Le fils de la baleine

Illustration de la couverture: Winson Tsui

Les publications
L'Avantage

Catalogage avant publication de Bibliothèque et Archives nationales du Québec et Bibliothèque et Archives Canada

Gosselin, Mel, 1986-

Cétacia

L'ouvrage complet comprendra 2 v.
Sommaire: t. 1. Le fils de la baleine.

ISBN 978-2-9811358-4-1 (v. 1)

1. Canadiens français - Nouvelle-Angleterre - Romans, nouvelles, etc. I. Titre. II. Titre: Le fils de la baleine.

PS8613.O771C47 2011   C843'.6   C2011-940688-8
PS9613.O771C47 2011

Dépôts légaux
2ᵉ trimestre 2011
Bibliothèque nationale du Canada
Bibliothèque nationale du Québec

© Les publications L'Avantage, 2011
183, Saint-Germain Ouest, Rimouski (Québec) G5L 4B8 CANADA
Téléphone: 418 722-0205 – 1 877 722-0205 – Télécopieur: 418 723-4237
Site Internet: www.publicationslavantage.com
Courriel: edition@publicationslavantage.com

Reconnaissance d'aide
Les publications L'Avantage est inscrite au Programme d'aide aux entreprises du livre et de l'édition spécialisée de la Société de développement des entreprises culturelles (SODEC) pour ses activités d'édition et bénéficie du Programme de crédit d'impôt pour l'édition de livres – Gestion SODEC – du Gouvernement du Québec.

En mémoire de ces enfants ouvriers que l'histoire a oubliés
Ceux qui ont troqué leur enfance pour des miettes de pain séché
Ces Canadiens français dont nous ignorons les noms
Ces ancêtres qui ont perdu leur identité, leur âme et leur dignité

Le sang de ces orphelins coule dans les veines
*   [de millions d'Américains*
Aucunement conscients qu'ils en sont les fiers descendants

Ils n'entendront jamais le chant du Saint-Laurent
Murmurant faiblement en eux
La genèse de leurs aïeux

REMERCIEMENTS

Je désire remercier sincèrement tous les amis et tous les membres de ma famille qui m'ont accompagnée depuis le début de cette longue aventure. Votre appui et vos encouragements, même s'il s'agissait parfois d'une simple tape dans le dos, ont raffermi ma persévérance lorsque se sont présentés les nombreux obstacles qui ont jalonné mon chemin.

Merci à la maison d'édition *Les publications L'Avantage*, qui permet à *Cétacia* d'intégrer le paysage de la littérature québécoise. Quelle belle équipe, respectueuse de ses auteurs, qui, de surcroît, encourage et privilégie les écrivains de l'Est-du-Québec. Je me considère choyée de pouvoir compter sur ce soutien exceptionnel.

Je dois aussi une fière chandelle à Tom Sawyer, Oliver Twist, Huckleberry Finn, Jean Valjean, David Copperfield, Anne Shirley, Cedric Errol, Laura Ingalls, Gulliver, D'Artagnan, Frankenstein, Poil de carotte, Capitaine Nemo, Docteur Jekyll et tous les autres personnages de littérature qui, par leurs aventures, m'ont donné à découvrir les joies de la lecture et les plaisirs de l'écriture.

Mel Gosselin

AVERTISSEMENT

Ce livre est une œuvre de fiction s'inspirant de faits réels.
Il contient des propos s'adressant à un public averti.

www.cetacia.com

PROLOGUE

Nous sommes en 1881, au Massachusetts. La petite ville de Lowell, située à quelques kilomètres de Boston, est considérée comme le berceau de la révolution industrielle américaine. Et pour cause, il s'agit du plus grand centre manufacturier des États-Unis. Qui dit nombreuses industries, dit bien sûr un important besoin de main-d'œuvre. La ville a donc accueilli des milliers d'immigrants venus, par-delà les mers, armés du même espoir : s'y construire une vie meilleure.

Parmi ces peuples, les Canadiens français. Pataugeant dans le froid, la pauvreté et le chômage, leur patrie natale n'arrivant plus à satisfaire aux besoins les plus élémentaires de ses habitants, c'est par centaines que ces valeureuses familles ouvrières ont frappé à la porte de leur voisin du sud à la recherche d'un gagne-pain. Hélas ! Ils furent loin d'y trouver la Terre promise tant espérée ; loin d'y recevoir un accueil chaleureux. Ces nouveaux arrivants sont, au mieux, traités avec mépris dans une société dominée par les anglo-protestants.

Au salaire de famine, s'ajoutent dans les fabriques les conditions de travail inhumaines, les quarts de travail de plus de quatorze heures quasiment sans pauses ni congés, sans parler des dangers encourus par les ouvriers chargés d'actionner les machines.

En cette période, ces nouveaux citoyens américains vivent dans un quartier reculé et insalubre appelé *Petit Canada* où le clergé catholique jouit d'une forte influence sur ses habitants très pieux, qui n'ont souvent que l'hostie pour repas. On y célèbre davantage de funérailles que de mariages. Quand ils ne meurent pas de faim, c'est la maladie ou les accidents de travail qui les emportent. À l'instar de situations que l'on rencontre de nos jours au Tiers Monde, la mort y est tellement banalisée que la présence de cadavres dans les rues laisse le peuple indifférent au sort de ces victimes.

C'est dans cet enfer que grandissent les jumeaux Demers : Mathias et Stanislas. N'ayant jamais connu leur mère, décédée en leur donnant naissance, ils ont été entourés de l'amour d'un père tendre et généreux. Ancien pêcheur originaire de la Gaspésie, Joseph Demers a dû abandonner son métier et suivre la vague d'immigration massive vers la Nouvelle-Angleterre pour offrir une vie décente à ses fils qui n'étaient alors âgés que de sept ans.

Il désire que ses garçons profitent d'une enfance heureuse et insouciante, faisant tout ce qui lui paraît possible pour leur faire oublier l'horreur et la misère qui les entourent. Il s'est toujours formellement opposé à ce qu'ils travaillent comme lui dans l'une des nombreuses filatures de la région. Étant témoin quotidiennement de la cruauté des contremaîtres et du traite-ment esclavagiste – considéré comme normal et accepté par la société américaine – réservé aux enfants ouvriers, il ne peut s'y résoudre. Se résignant au jugement de leur père, les jumeaux n'ont pour revenu que les quelques cents qu'ils reçoivent en servant la messe chaque matin pour le curé Cadoret.

Aujourd'hui, le 24 juin 1881, à l'aube de leur douzième anni-versaire, Mathias et Stanislas s'apprêtent à faire une incroyable découverte…

CHAPITRE I

Les Canadiens français

— *Qui pridie quam pateretur, accepit panem in sanctas ac venerabiles manus suas, et elevatis oculis in coelum ad te Deum Patrem suum omnipotentem, tibi gratias agens, bene dixit, fregit, deditque discipulis suis, dicens: Accipite, et manducate ex hoc omnes...*

— Zzz... zzz... zzz...

— Mathias! Mathias! Réveille-toi! C'est bientôt à toi de jouer! chuchota le garçon à son frère en le secouant doucement. Mais rien n'y fit. Mathias était prisonnier de son sommeil, la bouche grande ouverte, ronflant comme un moteur. Stanislas savait qu'ils accaparaient l'attention de l'auditoire entier, ce qui le mit plutôt mal à l'aise:

— Ce n'est pas drôle! Tu me fais honte! Quelle idée aussi de te coucher aussi tard! Allez! Au boulot! insista-t-il en le secouant avec un peu plus d'intensité, ce qui le réveilla enfin.

— Quoi? Quoi? Est-ce que j'ai manqué quelque chose? demanda Mathias, l'air confus, en s'étirant bruyamment et sans aucune retenue. Il repensa soudain à sa tâche et se dépêcha de sonner la clochette pour souligner la consécration. Le prêtre ne semblait pas apprécier le comportement insolent de Mathias. Heureusement pour le vieil homme, il commençait à en avoir l'habitude. Quand ce n'étaient pas les grimaces qu'il s'amusait à faire dans son dos, sa simulation de gastroentérite pour rentrer chez lui plus tôt, l'eau bénite qu'il remplaçait par du vinaigre, les moustaches qu'il peignait sur les statues, c'était l'encens que le gamin mélangeait avec du crottin de chevaux pour empester l'église. Ce n'étaient là que quelques exemples des mauvaises blagues inscrites au dossier de Mathias.

C'est ainsi que se déroulait la messe chaque matin depuis que les jumeaux Demers assistaient le curé Cadoret à l'église Saint-Jean-Baptiste du *Petit Canada* à Lowell. Alors que Stanislas, très dévoué, prenait plutôt sa tâche à cœur, le cas était bien différent pour Mathias. Il aurait préféré s'amuser et vagabonder à l'extérieur plutôt que d'entendre le même discours ennuyant tous les jours, et qui plus est, dans une langue qu'il ne comprenait même pas.

Cette attitude trahissait à merveille les caractères distincts des frères. Bien qu'ils soient trait pour trait identiques, avec leur taille bien en dessous de la moyenne des garçons de leur âge, leurs cheveux d'un blond platine légèrement frisottés, leurs visages triangulaires, leur peau claire, leurs nez fins et leurs yeux couleur azur en forme d'amande, leurs personnalités étaient situées aux antipodes.

Alors que Mathias était le bagarreur, l'impulsif et l'espiègle du duo, Stanislas, pour sa part, était sage, obéissant et réservé, réparant sans cesse les bêtises que son frère commettait. Il adorait étudier et rêvait d'intégrer un jour la prestigieuse Université Harvard, même s'il savait que ça lui serait impossible étant donné leur maigre revenu familial. Il était le seul des deux à savoir lire et écrire, ayant tout appris par lui-même, car ni lui ni son frère n'étaient allés à l'école.

Stanislas était un solitaire qui préférait passer ses journées à la bibliothèque pour y emprunter des ouvrages théoriques ou des romans de tout genre. Mathias, quant à lui, était un amateur de compétitions d'hommes forts, et il s'entraînait sans cesse dans le but de ressembler à ses idoles ou de défier les autres enfants du quartier. D'ailleurs, en observant attentivement les jumeaux, on percevait une subtile différence dans leur allure, Mathias étant légèrement plus costaud et plus grand que son frère.

Rien n'était plus insultant pour Mathias que d'être confondu avec son frère qui lui cassait un peu trop souvent les pieds à son goût par son comportement d'enfant modèle. Ce sentiment était réciproque chez Stanislas qui détestait qu'on le prenne pour un voyou en raison de leur ressemblance. Bien que les frères cassaient le cliché des jumeaux complices et inséparables (Mathias étant le premier à embêter et ridiculiser Stanislas), ils savaient très bien qu'ils pourraient toujours compter sur l'autre, quoi qu'il arrive.

— *Misereatur vestri omnipotens Deus, et dimissis peccatis tuis, perducat te ad vitam aeternam...*

C'était bientôt le moment de la communion. Les jumeaux se préparaient à accompagner le curé Cadoret avec la patène afin qu'il puisse sans incident déposer l'hostie consacrée dans la bouche de chaque croyant, car nul mortel hormis le curé n'avait le droit de toucher au corps du Christ. La patène s'appuyait au menton du fidèle qui se préparait à recevoir l'hostie sur la langue, afin d'éviter que celle-ci tombe sur le sol, ce qui aurait été un grand sacrilège. Puis, enfin, arriva le moment préféré de Mathias: le dernier signe de la croix, signifiant le dénouement tant espéré de la messe. Après que les derniers fidèles soient sortis, le garçon lâcha un cri de joie et rentra en trombe dans la sacristie. Pendant qu'il enlevait son surplis, il reçut une claque derrière la tête.

— Aïe! émit-il, en se frottant la tête.

— Quand vas-tu apprendre à bien te tenir? Chaque matin, c'est la même histoire! Les habitants du quartier commencent à parler dans notre dos! Tu as vu comme nous sommes dévisagés? s'indigna Stanislas.

— Et alors?

— Tu nuis à la réputation de papa! Tu sais, tout comme moi, que les gens le trouvent déjà assez étrange parce qu'il n'assiste jamais à la messe. N'en rajoute pas! Tu devrais plutôt être fier que monsieur le curé nous ait choisis comme servants de messe et tu devrais le remercier d'être aussi clément et patient à ton égard! Il n'y a personne, à part toi, qui semble trouver tes blagues drôles!

— C'est qu'ils n'ont pas de goût, c'est tout! Non, mais c'est vrai, regarde tous ces moutons qui viennent pour entendre le vieux radoter toujours et encore le même sermon en latin. Au moins je mets un peu de piquant dans leur journée! Les as-tu au moins observés une fois? Ils ont les yeux tout pochés!

— C'est normal. Ils se lèvent tôt et ils savent que tout de suite après la messe ils doivent aller travailler. Toi non plus, tu n'aurais pas vraiment le cœur à la fête, sachant que tu t'en vas travailler jusqu'au coucher du soleil. Je suis sûr que tu ne serais même pas capable d'en faire autant!

— Es-tu en train d'insinuer que je suis paresseux?

— Qu'est-ce que tu en penses, Monsieur Je-suis-meilleur-que-tout-le-monde-surtout-comme-incapable?

— Espèce de petit pleurnichard, de petite mauviette, de chou-chou du curé! Pour qui tu te prends? N'oublie pas que je suis plus fort que toi. Tu vas regretter tes paroles!

Mathias sauta sur son frère et commença à lui donner des coups de poing. Stanislas essayait tant bien que mal de riposter. Le curé Cadoret entra alors soudainement dans la sacristie et sépara les frères.

— Je vous ordonne d'arrêter immédiatement! Allez, ça suffit Mathias, lâche ton frère! Je ne veux pas de bagarre dans la maison de Dieu! dit le vieil homme en agrippant le poignet du gamin.

— C'est lui qui a commencé! Il m'a insulté, rouspéta Mathias, en pointant du doigt son frère.

— Compte-toi chanceux d'être le frère de ce petit ange! Si ce n'était pas de lui, il y a longtemps que je t'aurais fichu à la porte! Quand vas-tu prendre un peu de maturité, mon garçon?

soupira le prêtre, plutôt exaspéré. Le garçon haussa les épaules et jeta à bout de bras sa soutane noire dans l'armoire, sans même prendre la peine de la suspendre à un crochet.

— Tiens, reprit le curé en lui tendant une pièce de cinq cents, je te remets ton dû, bien que tu ne le mérites pas. Réfléchis à ton comportement ! Maintenant, file ! Avant que je te donne un bon coup de pied au derrière !

— Merci, marmonna-t-il avant de coiffer la casquette brune qu'il portait en quasi-permanence (un rare signe qui permettait de distinguer physiquement les jumeaux).

— Jeune homme ! Je te l'ai déjà dit ! Pas de couvre-chef tant que tu n'es pas à l'extérieur !

— Ouais, ouais, fanfaronna-t-il en sortant de la sacristie sans l'écouter davantage.

— C'est presque invraisemblable que vous soyez nés des mêmes parents, dit le curé en hochant la tête.

— Vous savez, monsieur le curé, il n'est pas aussi terrible qu'il le laisse paraître. C'est quelqu'un d'honnête, généreux et très serviable en réalité. À la maison, il aide beaucoup papa et on s'amuse bien ensemble, de temps en temps. Il n'aime pas être servant de messe, c'est tout. Il ne cesse de répéter qu'il ne fait cela que pour l'argent…

— S'il ne fait cela que pour l'argent, pourquoi votre père ne l'envoie-t-il pas travailler ? Ce ne sont pas les manufactures qui manquent à Lowell ! Il rapporterait un salaire beaucoup plus rémunérateur qu'en servant la messe. Peut-être que le travail ouvrier dompterait enfin ce petit ingrat, une bonne fois pour toutes !

— Papa ne veut pas que nous travaillions ; enfin, pas tout de suite. Il veut que nous profitions de notre enfance, comme il nous le répète souvent. Vous savez, mon père était pêcheur avant que nous emménagions ici et tout le monde sait que pour les marins, la liberté est une valeur sacrée. Il préfère que nous ayons un peu moins de moyens mais que nous soyons libres. Je suis plus ou moins d'accord avec son idée, mais il y tient mordicus.

— Quelle idée bizarre! Ça va à l'encontre des valeurs des autres familles canadiennes françaises du quartier! Quoique ça ne me surprend pas du tout, venant de votre père... Un vrai mouton noir, tout comme ton frère, d'ailleurs... Heureusement que tu n'es pas comme eux. Tu as encore une chance de gagner ton ciel, toi au moins. Au fait, l'idée d'aller à l'école ne t'a jamais frôlé l'esprit? Je connais très bien la religieuse qui donne les cours à la petite école de la paroisse. Je pourrais faire en sorte que tu puisses y aller sans frais! Je suis persuadé qu'en un rien de temps tu dépasserais les autres élèves. Tu es tellement brillant...

— C'est très gentil à vous, mais pour l'instant j'apprends par moi-même et cela me plaît ainsi. Je me sentirais mal à l'aise d'être sur un banc d'école alors que mon frère ne pourrait pas y aller. Ça le rendrait beaucoup trop jaloux, dit-il en prenant soin de bien plier sa soutane pour qu'elle ne se froisse pas.

— Tu es trop bon à son égard. Sois sûr qu'il n'en ferait pas autant pour toi! Je t'en prie, fais-moi au moins le plaisir d'y penser, d'accord? Au fait, si j'ai bonne mémoire, c'est bien ton anniversaire aujourd'hui?

— C'est exact. Je suis si heureux que mon frère et moi soyons nés le jour de la Saint-Jean-Baptiste. Comme c'est férié, mon père peut passer du temps avec nous! Quel fils d'ouvrier ne rêverait pas d'une telle chance?

Le curé Cadoret n'eut pas le temps de répondre qu'une cacophonie à l'orgue se fit entendre.

— Attends-moi une minute, je reviens! dit-il en serrant les dents.

Comme il le craignait, il aperçut Mathias qui s'était improvisé organiste. *Seigneur, dans votre grande bonté, je vous en prie, apportez à cet enfant obéissance et respect...* murmura-t-il entre ses dents, totalement dépassé par les événements, avant de prendre une grande inspiration pour essayer de garder son calme:

— Que fais-tu encore là? Lâche cet orgue immédiatement; tu risques de l'abîmer! Ce n'est pas un jouet! aboya-t-il, rouge de colère, en fermant le clavier si violemment qu'il faillit écraser les doigts du gamin.

— Je ne faisais que passer le temps en attendant mon frère.

— Je ne te crois pas! Je suis persuadé que tu préparais un autre de tes mauvais coups! Tu t'apprêtais à mettre de la colle sur le banc ou à boucher un des tuyaux, je suppose? Déguerpis immédiatement, je n'ai pas fini de discuter avec Stanislas! Il te rejoindra après! Allez, du balai! Je t'ai déjà dit d'enlever cette casquette quand tu es à l'intérieur de l'église, garnement! Tu es sourd! affirma-t-il en prenant Mathias par l'oreille pour l'entraîner vers la sortie sans se préoccuper de ses gémissements.

— Croyez-moi, j'aurais aimé être sourd! Je dois vous endurer tous les matins lorsque vous récitez ces ennuyants psaumes avec votre voix pâteuse et enrouée! Des pastilles pour la gorge, ça existe, vous savez, monsieur le curé, à moins que vous ne soyez trop occupé à amasser de l'argent pour vous acheter une moumoute pour camoufler votre horrible calvitie, grinça-t-il, les dents serrées par la douleur, mais ne pouvant s'empêcher de sourire malicieusement.

— Un autre commentaire du genre et tu vas le regretter! ragea le curé en claquant la porte violemment.

Mathias s'assit sur le perron de l'église, l'air boudeur, en attendant que Stanislas en sorte. Il se demandait pourquoi le curé Cadoret retenait sans cesse Stanislas après les messes. Même lorsque Mathias posait la question à son frère, celui-ci lui livrait des réponses floues. Le gamin remarqua que les habitants du *Petit Canada* commençaient à décorer les rues de drapeaux et de banderoles multicolores pour la parade annuelle de la Saint-Jean-Baptiste. Certaines personnes s'étaient même déjà costumées et des chars allégoriques étaient déjà parés. La Saint-Jean-Baptiste était une fête si importante pour les Canadiens français que ceux-ci avaient réussi à convaincre les grands patrons américains de leur donner congé pendant cette journée, en échange d'heures supplémentaires qu'ils effectuaient en compensation. Cette fête permettait de renouer avec leurs origines que l'éloignement géographique leur faisait, petit à petit, oublier. Tout le monde était heureux de célébrer cette fête, sauf, bien sûr, Mathias.

La coutume, à la Saint-Jean-Baptiste, était de choisir un petit garçon blond aux cheveux bouclés et aux yeux bleus que l'on assoyait sur un char allégorique. Le garçon était censé personnifier saint Jean Baptiste. Parce que les jumeaux correspondaient parfaitement à ces critères, ils furent tour à tour élus chaque année pour jouer ce rôle et ainsi avoir la chance d'être le clou de la parade. Cette année, c'était au tour de Mathias d'emprunter les traits du saint, et ça ne lui plaisait pas du tout. Même si tous les enfants du quartier auraient donné n'importe quoi pour être à sa place, lui trouvait injuste que son anniversaire tombe la même journée que cette célébration. Il était donc particulièrement irritable en ce jour de fête...

Après une bonne demi-heure, il aperçut enfin son frère qui sortit de l'église.

— T'en as mis du temps ! Le vieux t'a demandé de cirer ses chaussures ou quoi ? ricana-t-il en se relevant.

— Non... Non... Nous avons seulement discuté de tout et de rien et je n'ai pas vu le temps filer, éluda-t-il.

— Ah oui, vraiment ? Ça fait plusieurs matins que tu restes après la messe ! Et puis, pourquoi il te donne sans cesse des bonis ? C'est trop gros pour être une pièce de cinq cents, ça ! triompha-t-il en remarquant dans sa paume une pièce de 25 cents. C'est écrit dans le ciel que t'es le petit préféré du curé !

— Euh... bien... C'est notre cadeau d'anniversaire ! dit-il, intimidé.

— Vraiment ? Depuis quand le vieux nous donne des cadeaux d'anniversaire ? grimaça Mathias en levant un sourcil suspicieux.

— Si! Si! Je te le jure! Donc, cette année, c'est toi qui va jouer saint Jean Baptiste, pas vrai? J'échangerais ma place pour la tienne n'importe quand! J'adore ça! se dépêcha-t-il à dire pour dévier du sujet original.

Les jumeaux empruntèrent le chemin du retour. Plusieurs passants, les reconnaissant, leur envoyèrent la main en leur souhaitant une bonne Saint-Jean-Baptiste.

— Bof… Je te donne ma place quand tu veux, Stan! Moi, ça m'énerve! Les peaux de mouton qu'ils nous mettent sur le dos me donnent des démangeaisons et, en plus, on empeste pendant des jours entiers! Et que dire des coups de soleil qu'on attrape? Ai-je vraiment besoin de te rappeler à quoi ressemblait ton visage l'an dernier? J'aimerais mieux qu'on célèbre notre anniversaire tranquilles, en famille, juste nous trois pour une fois. Tu ne crois pas?

— J'avoue que ça serait bien. Mais, tu sais comme papa est fier de nous voir jouer saint Jean Baptiste à la parade. Après tout ce qu'il fait pour nous, on n'est que redevables.

— Tu as sans doute raison, mais sauter une année ne tuerait personne. Parlant de papa, j'espère qu'il va mieux. Ce matin, il m'a dit qu'il ne se sentait pas très bien, qu'il était un peu enrhumé. Heureusement que c'est férié, il pourra en profiter pour se reposer, conclut-il en s'arrêtant brusquement devant une façade où une affiche attira son attention. Ses yeux s'étaient agrandis dès qu'il avait aperçu Louis Cyr, son idole de toujours:

— Non, ce n'est pas possible… Ce n'est pas possible, Stan, dis-moi que je rêve! C'est bien Louis Cyr? l'homme le plus fort du monde! Je n'hallucine pas? S'il te plaît, lis-moi ce qui est écrit! demanda-t-il à son frère en respirant fortement tant il était excité, tout en fixant intensément sur l'affiche le dessin d'un homme corpulent et musclé arborant une énorme moustache.

— *La Ville de Lowell vous invite à sa Grande Foire Estivale. Cette année, nous avons le plaisir de vous accueillir à la Compé-*

tition Mondiale d'Hommes Forts où nous recevrons La Troupe de Louis Cyr. Nous vous proposons aussi d'essayer nos nombreux Manèges, d'assister à nos Spectacles et de venir rencontrer les nombreuses Célébrités du Monde Artistique qui ont pris la peine de se déplacer pour l'occasion. Nous vous attendons, du 21 au 24 juin, à midi au South Common. Coût du billet: 12 cents, annonçait l'affiche américaine traduite de vive voix par Stanislas.

— Mon Dieu! Il faut absolument que nous y allions! Tu te rends compte? Nous pourrions voir l'homme le plus fort du monde de nos propres yeux! Peut-être que je vais pouvoir avoir son autographe ou lui serrer la main? Ou encore, lui confier ô combien il est mon idole et que je veux faire tout mon possible pour lui ressembler? C'est si rare que cette ville pourrie prenne la peine d'organiser ce genre d'événements! Ça ne coûte que 24 cents, ça vaut la peine! Avec le 25 cents que tu as gagné ce matin, nous avons le compte pour deux laissez-passer! Si tu n'as pas le goût de marcher jusqu'au sud de la ville, avec mon cinq cents, nous pourrons nous y rendre en tramway, si tu le désires! Allez, quoi! Dis oui, je t'en prie! Je ne tiens plus en place! se lamenta-t-il en sautillant.

— Ne t'emballe pas trop vite… Regarde, il y a une petite note au pied de l'affiche: *Interdit aux catholiques.* L'activité doit être, malheureusement, financée par les *WASP.*

— Les *WASP?*

— Les *White Anglo-Saxon Protestant.* Tu sais, ce sont les individus dont le curé Cadoret nous avait parlé, une fois. Ces gens détestent et méprisent les catholiques et privilégient sans cesse les Américains de souche. Nous ne sommes pas les bienvenus là-bas, je suis désolé, Mathias, dit-il tristement.

— Et pourquoi mettre des affiches pour annoncer l'événement dans notre quartier si c'est pour nous l'interdire? Simplement pour nous narguer, j'imagine! Louis Cyr est Canadien français! Nous partageons le même sang! Pourtant, ils ne le bannissent pas, lui? s'offusqua Mathias.

— Ils ne le bannissent pas parce qu'il leur rapporte de l'argent. Pour eux, il n'y a que ça qui compte. Si nous étions riches, tu peux être sûr qu'ils fermeraient les yeux sur notre religion, expliqua Stanislas.

— C'est pas juste… Pourquoi ils nous font ça? On ne leur fait pas de mal, dit Mathias, déçu, en bottant un caillou.

— Nous ne sommes pas les seuls dans cette situation. Pense aux Irlandais, aux Italiens ou aux Polonais; eux aussi, cette exclusion doit les peiner. Si ça peut te consoler, tu n'aurais pas pu y aller de toute façon puisque tu dois participer à la parade de la Saint-Jean-Baptiste et que c'est le dernier après-midi de cette foire. Qu'elle nous soit interdite ou pas ne change rien aux événements. Allez, rentrons chez nous, dit Stanislas en lui donnant des tapes dans le dos pour le réconforter.

Quelques minutes plus tard, les garçons arrivèrent enfin à leur domicile sur *Merrimack Street*, une rue malpropre et boueuse, remplie d'ordures de toutes sortes. Comme tous les habitants du quartier, ils vivaient dans une maison d'ouvriers. Les maisons d'ouvriers étaient d'énormes bâtisses construites en bardeaux, de trois à cinq étages, pouvant loger de 15 à 30 familles. La famille Demers ne comptait que trois membres, mais la plupart des familles ayant facilement de huit à quatorze enfants chacune, une maison ouvrière pouvait abriter plus de 390 personnes à elle seule. Les locataires devaient donc partager entre eux un espace très restreint. Les systèmes d'égout et d'aqueduc étaient inadéquats, les logements puaient en permanence, les pièces étaient mal éclairées, malpropres, mal ventilées et les cafards et les rats en avaient fait leur royaume. La plupart des ouvriers ne s'en plaignaient pas, puisqu'ils passaient plus de temps sur le lieu de travail que chez eux. Ils se contentaient donc de ces taudis sans geindre, ce qui faisait bien l'affaire des propriétaires américains qui n'auraient jamais investi un cent pour l'entretien ou la rénovation. À cause de ces mauvaises conditions sanitaires, il n'était pas rare de voir les enfants du quartier victimes de diarrhées, de fièvre typhoïde ou de choléra. Le taux de mortalité infantile était donc à son comble.

Les jumeaux montèrent les escaliers grinçants, puis ouvrirent doucement la porte de leur logement, pour ne pas réveiller leur père dans le cas où il dormirait. Lorsqu'ils pénétrèrent dans la cuisine, ils découvrirent une surprise : un copieux petit déjeuner avait été préparé. Pâtisseries, charcuteries, fruits frais, fèves au lard et œufs constituaient le festin. Les deux garçons admiraient le repas, l'eau à la bouche. Ils se dépêchèrent de passer à table sans même se poser de questions et commencèrent à tout engloutir, oubliant de rendre grâce, tant ils étaient affamés.

— Je suis content que ça vous plaise autant, mes petits gourmands, dit une voix rocailleuse en ricanant.

— Papa ! Merci beaucoup ! dirent en osmose les jumeaux. Ils coururent vers lui et le serrèrent dans leurs bras.

— Joyeux anniversaire ! Profitez-en bien ! dit-il en leur caressant la tête. Il toussa.

— Papa, ce n'est pas raisonnable ! Tu aurais dû rester au lit et te reposer au lieu de préparer tout ça pour nous, s'inquiéta Stanislas.

— Allons, Stanislas ! Ce n'est qu'une vilaine grippe ! Il en faut plus pour arrêter un vieux marin comme moi !

— Tout ça a dû te coûter une petite fortune ! s'exclama Mathias.

— On n'a pas 12 ans tous les jours ! Ça n'a pas de prix de souligner cet événement. Vous savez, c'est à cet âge que j'ai pris pour la première fois le large. J'aurais tant aimé que vous en fassiez autant. Hélas ! le destin en a décidé autrement. Allez, ça ne sert à rien de regretter le passé ! Continuez de manger pendant que c'est encore tout chaud ! insista-t-il alors que les garçons retournaient manger sans se faire prier.

Joseph les observait, les yeux rieurs, avec un sourire si chaleureux qu'il transparaissait sous l'hirsute barbe poivre et sel qui recouvrait la presque totalité de son visage. Pendant que ses garçons mangeaient en discutant de tout et de rien, l'homme trapu alla chercher une vieille boîte à biscuits qu'il déposa sur la table.

— Qu'est-ce que c'est? s'interrogèrent les jumeaux.

— Un coffret à souvenirs! Je l'ai retrouvé dans un tiroir de la commode. J'étais sûr que nous l'avions perdu lors de notre déménagement. Eh bien, non! il était là, simplement bien caché! Amusez-vous! dit-il, en retirant le couvercle poussiéreux. Les garçons ne tardèrent pas à fouiller à l'intérieur. Ils y découvrirent de vieux jouets et autres reliques de leur passé, mais aussi quelques photos en noir et blanc.

— T'as vu ça? C'est notre maison lorsque nous habitions la Gaspésie! J'avais presque oublié ses magnifiques pignons! Ils étaient rouges, si ma mémoire est bonne. Regarde celle-là, c'est une photo de nous sur la rive du fleuve Saint-Laurent. Oh! Mais c'est le rocher Percé sur celle-là! Nous pouvions l'observer de la fenêtre de notre chambre! On dirait un gros beignet! Nous aimions tellement nous y rendre à marée basse, tu t'en souviens, Stan? s'enthousiasma Mathias, en regardant une à une les photos.

— Bien sûr que je m'en souviens! Et toi, te souviens-tu comme nous pouvions, à cette époque, manger du poisson jusqu'à ce que nos ventres éclatent? C'était le bon temps! Oh! regarde celle-ci! C'est une photo de *La Sirène Bleue*! Qu'il était beau notre bateau! J'ai tellement eu de peine quand papa l'a vendu… se remémora Stanislas, le cœur serré.

— Moi aussi. Je crois que je n'avais jamais autant pleuré. Ce n'est pas juste! J'aurais préféré qu'on le garde. Pourquoi tu as dû faire ça, déjà? demanda Mathias à son père.

— C'était pour payer notre voyage jusqu'aux États-Unis. Je ne pouvais plus gagner ma vie comme pêcheur. Ça a été dur pour tout le monde, c'est vrai, mais si je n'avais pas fait ce choix déchirant, peut-être que nous ne serions pas là aujourd'hui, répondit-il en réprimant à nouveau quelques toussotements.

— Oh! je ne peux pas croire que c'est toi sur cette photo! Ça fait si drôle de te voir sans la barbe! enchaîna à son tour Stanislas en ricanant lorsqu'il trouva cette photo. Pour sa part, Mathias continua de farfouiller dans la boîte et y découvrit un harmonica.

— Ciel! Mais c'est mon vieil harmonica! Ça fait une éternité que je n'en ai pas joué! J'espère que je ne suis pas trop rouillé! souhaita Joseph en prenant l'instrument entre ses mains.

— Et ça, c'est quoi? dit Stanislas en sortant un coquillage blanc en forme de spirale.

— Ça... C'est un cadeau que m'avait fait votre mère. D'ailleurs, ça doit être à la même époque où avait été prise la photo de moi qui vous a tant fait rire! Vous ne vous en souvenez peut-être pas, mais lorsque je vous berçais quand vous étiez plus jeunes, je le portais souvent à votre oreille pour vous faire écouter la mer. J'avais l'impression que vous arriviez à comprendre ce que l'écho des vagues vous murmurait. Après tout, n'oubliez pas que votre mère était une sirène! Il est donc logique que vous soyez les enfants des océans, se remémora l'homme.

— Ah non! tu ne vas pas recommencer avec cette histoire! Dis-nous la vérité! Nous ne sommes plus des gamins! Nous savons bien que les sirènes n'existent pas, sauf dans les contes stupides que lit Stanislas! répliqua Mathias.

— Mais c'est la vérité! Pourquoi je vous mentirais? N'est-ce pas la plus belle créature qu'un marin peut avoir la chance de croiser en mer? Pourquoi pensez-vous que j'ai baptisé mon embarcation *La Sirène Bleue*? N'importe quel mortel qui l'aurait entendue chanter affirmerait la même chose que moi... maintint-il, avant de souffler quelques notes à l'harmonica.

— C'est drôle, on dirait que je reconnais l'air... affirma Stanislas, en portant le coquillage à son oreille.

— C'est fort possible, elle vous fredonnait souvent cet air lorsque vous étiez encore dans son ventre, répondit-il, en interrompant sa mélodie.

— Est-ce que maman te manque, papa? demanda Mathias après un moment de silence.

— Pas du tout… Car je sais qu'elle vit en vous. Chaque fois que je vous regarde, j'ai l'impression qu'elle me sourit et chaque fois que vous riez, je l'entends chanter… Vous savez, le jour de votre naissance fut pour moi le plus beau et le plus triste jour de ma vie. Elle serait fière de ses fils, vous pouvez en être sûrs.

— Si maman était bel et bien une sirène, j'espère qu'elle n'empestait pas trop le poisson! se moqua Mathias.

— Une chose est sûre, Mathias, c'est que tu as hérité de son odeur lorsque tu enlèves tes chaussettes! ricana Stanislas.

Il n'en fallait pas plus pour que son frère commence à le tabasser.

— Oh toi, tu la fermes! Tu ne sens pas la lavande non plus! s'offensa Mathias.

— Allons les enfants, profitez plutôt de cette journée au lieu de vous chamailler. Un si bel après-midi nous attend! proposa l'homme pour changer de sujet, tout de même amusé par l'espièglerie de ses fils.

CHAPITRE II

Cétacia

Après avoir dévoré leur somptueux repas avec appétit, les jumeaux décidèrent de faire une petite partie de cartes, histoire de digérer. Ayant ressenti un coup de fatigue en fin d'avant-midi, leur père était retourné au lit pour faire une petite sieste pendant que les garçons s'amusaient.

— Ha! Ha! pas de veine mon petit Stan! Je viens de piger la reine de cœur! Tu as perdu! C'est qui le meilleur? C'est qui? C'est l'invincible Mathias, bien sûr! dit-il, fou de joie, en dévoilant le paquet de cartes sur la table pour lui prouver qu'il avait bel et bien gagné la partie.

— Ça ne prouve rien du tout! Les jeux de cartes reposent sur le hasard et non l'adresse, affirma Stanislas en faisant la moue.

— Et voilà qu'il me lance le discours classique du perdant. Allons, un peu d'humilité. Comme je suis un gars généreux, j'ai quand même un prix de consolation pour toi, avança le blondinet en lui souriant.

— Ah oui? Quoi donc?

— Des heures et des heures de plaisir! lança Mathias en projetant le paquet de cartes à bout de bras.

— Mathias! Tu vas me le payer! dit Stanislas, découragé, en regardant la pluie de cartes.

— Tu veux te venger? Eh bien, tu n'as qu'à me battre la prochaine fois, bien que je doute que tu y arrives un jour. Pour l'instant, contente-toi de ramasser! ricana le gamin alors que Stanislas s'accroupissait à la recherche des cartes éparpillées.

Mathias en profita pour mettre autour de son cou un foulard bleu qui appartenait à son père du temps qu'il était encore pêcheur. Il adorait le porter depuis qu'il était tout petit, même lorsqu'il faisait très chaud. Puis, il enfila son vieux veston brun tout rapiécé et se dirigea en catimini vers la sortie en espérant que son frère, trop occupé à ramasser les cartes, ignore sa manœuvre.

Le gamin avait une idée fixe et personne n'aurait pu le convaincre d'y renoncer. Il avait décidé que cette année, il ne participerait pas à la parade de la Saint-Jean-Baptiste. Il voulait absolument et par tous les moyens possibles se rendre à la foire où son idole, Louis Cyr, allait donner une représentation. Il s'arrêta devant l'affiche annonçant l'événement et l'admira avec tout autant d'émerveillement que la première fois.

Non, mais ces anti-catholiques croient vraiment qu'ils vont m'empêcher de voir Louis Cyr? Ils se mettent le doigt dans l'œil, foi de Mathias Demers! Je suis trop près de mon rêve pour l'abandonner aussi facilement! Puis, le Petit Canada *peut bien se passer de Saint-Jean-Baptiste une fois dans sa vie! De toute façon, je suis sûr que Stan, comme je le connais, va accepter de prendre ma place. Pauvre Stanislas… Qu'il est naïf… Je peux lui faire avaler ce que je veux. Ça fait trois jours de suite que je gagne au jeu de cartes avec le même stratagème et il n'y voit que du feu à chaque fois…* pensa-t-il en sortant des doubles de cartes à jouer qu'il gardait dans ses poches.

— Tiens, tiens! Si ce n'est pas un des frères Demers! Ton taré de double n'est pas avec toi aujourd'hui? Ça ne doit pas être marrant tous les jours de devoir partager un cerveau à deux, déjà qu'il ne doit pas être très gros! claironna la voix gouailleuse d'un garçon.

— Tiens, tiens! Si ce n'est pas le gros *Fat* O'Donnell! Ça ne doit pas être marrant tous les jours pour tes os de devoir supporter toute cette graisse, se contenta de répliquer Mathias, sachant très bien à qui il avait affaire. Le garçon avait d'épais cheveux roux, des yeux marron et le visage parsemé de taches de rousseur, lorsqu'il n'était pas taché de suie. Bien qu'il n'ait qu'une ou deux années de plus que Mathias, il était beaucoup plus grand et costaud, mais aussi un peu plus enrobé que la moyenne des garçons de son âge.

— C'est *Pat* O'Donnell, pauvre microbe! Retiens ça! *Pat*! Ou je te fais avaler tes dents! grogna-il, en serrant de toutes ses forces le large balai-brosse qu'il utilisait pour nettoyer les cheminées.

— Tu ne devrais pas être aussi agressif à mon égard. Je m'inquiète énormément pour toi, tu sais. Je me dis parfois que ramoneur n'est peut-être pas un métier qui convient à ta corpulence. Tu n'as pas peur de rester coincé dans une cheminée un de ces jours? demanda sarcastiquement Mathias.

— La ferme! Maudits *Frogs*… Je vous déteste tant! Si vous n'existiez pas, on se sentirait mieux! maugréa-t-il entre ses dents.

Pat O'Donnell était d'origine irlandaise et comme tous les Irlandais de Lowell, il éprouvait une haine atavique envers les Canadiens français – les *Frogs*, comme on les surnommait péjorativement. Le quartier irlandais n'était situé qu'à quelques minutes du *Petit Canada* où, tout comme chez eux, vivaient de pauvres ouvriers catholiques à la solde des grands patrons américains. Les Irlandais accusaient les Canadiens français de voler leurs emplois, car ceux-ci jouissaient d'une meilleure réputation auprès des employeurs. De plus, avec les années, ils étaient arrivés à former une masse critique beaucoup plus importante que les Irlandais, ce qui leur permettait d'empiéter sur leur espace, leurs biens, leurs commerces et même de s'approprier leurs églises. Les jumeaux connaissaient Pat depuis quelques années déjà. Ce dernier, sans aucun motif, s'était mis dans la tête d'embêter et de provoquer les garçons chaque fois qu'il les croisait. Alors que Stanislas, pacifique, l'ignorait pour éviter toute forme de confrontation, Mathias en avait fait son rival. À chacune de leurs rencontres, il s'en donnait à cœur joie en l'insultant, en se battant contre lui ou en lui proposant divers défis pour lui prouver qu'il était le plus fort et, surtout, le meilleur.

— Que veux-tu, ce n'est pas donné à tout le monde d'avoir la chance de faire partie du même peuple que l'homme le plus fort du monde et encore moins d'avoir la chance de le croiser aujourd'hui, l'asticota Mathias.

— Ne me dis pas, demi-portion, que tu vas aller à la foire? Les catholiques y sont interdits! Si on découvre qui tu es, tu es cuit! le prévint Pat, qui mourait d'envie d'y aller aussi, étant un amateur de compétitions d'hommes forts.

— Non, mais quel poltron! Il faut savoir oser dans la vie! C'est pourquoi tu es condamné à ramoner des cheminées toute ta vie alors que moi, je serai un jour célèbre et admiré partout dans le monde pour ma force et mes exploits! crâna-t-il.

— Dans tes rêves! Il faudra d'abord que tu aies des muscles, paquet d'os! grogna-t-il avant de tenter de lui donner un coup de balai-brosse que le gamin réussit à esquiver. Mathias riposta en lui assénant un coup de poing dans le ventre, puis il prit la poudre d'escampette, dispersant par la même occasion les cartes à jouer qu'il gardait au creux de son veston.

— Le ventre, c'est le point faible des gros, c'est ce qu'on dit, non? Désolé, mais je n'ai pas le temps de m'amuser aujourd'hui, *Fat*! Y'a une foire qui m'attend! T'inquiète pas, je vais tout te raconter! À la prochaine! ricana-t-il, en se dirigeant vers le *South Common*.

— Tu ne perds rien pour attendre… promit Pat en se tenant le ventre.

***

Stanislas venait de ramasser toutes les cartes. Il les compta pour être sûr qu'il y en avait 52, puis il les rangea dans leur boîte avant de la placer dans le tiroir de la commode.

— Alors, Mathias es-tu prêt pour la parade? J'ai hâte de te voir dans ton costume! demanda Joseph en sortant de sa chambre, enthousiaste. Il chercha le garçon des yeux:

— Stanislas, sais-tu où es…? s'interrompit-il, en proie à une quinte de toux.

— Aucune idée. Il a dû sortir prendre un peu l'air avant la célébration. Mais, papa, es-tu sûr d'être assez en forme pour assister à la parade? Tu n'as presque rien avalé au déjeuner et ton visage est tout rouge, s'inquiéta le gamin.

— Allons, je t'ai dit que ce n'est rien. Dans deux jours, on n'en parlera même plus. Je n'ai jamais raté une seule de vos parades, ce n'est pas aujourd'hui que ça changera, le rassura-t-il.

— Je peux partir à la recherche de Mathias si tu as peur que nous soyons en retard, proposa le gamin.

— Très bonne idée. Tu connais ton frère, il peut très bien l'avoir oubliée!

— Il ne l'a pas oubliée, papa! Je crains plutôt autre chose… C'est trop louche qu'il soit parti comme ça, sans rien dire. Je vais aller voir! conclut-il, en retirant ses vêtements du dimanche pour enfiler sa chemise préférée. Il mit ensuite son pantalon et il étira jusqu'à ses épaules les deux bretelles qui se croisaient dans le dos, puis il sortit, à la poursuite de son frère.

Stanislas marcha dans les recoins et les ruelles du quartier, appelant son frère. Sa crainte fut confirmée lorsqu'il aperçut des cartes à jouer au pied de l'affiche annonçant la foire. Il les ramassa et constata que leur dessus correspondait exactement à celui du paquet de cartes qu'il possédait chez eux.

Mathias! Égoïste, tricheur et menteur! C'est comme ça que tu gagnais! Compte sur moi, je ne te laisserai pas aller à cette foire! fulmina-t-il intérieurement, outré de découvrir que non seulement il se faisait berner depuis le début lorsqu'ils jouaient aux cartes ensemble, mais qu'en plus son frère comptait renoncer à son devoir.

Il partit en courant vers *South Common* où devait avoir lieu la foire. Sur le chemin, il entendit les organisateurs de la parade de la Saint-Jean-Baptiste discuter entre eux. Ils semblaient inquiets que leur « saint Jean Baptiste » ne soit pas encore arrivé, ce qui redoubla la colère du gamin envers son frère.

Une fois arrivé au parc, Stanislas se faufila dans la foule qui faisait la queue devant l'entrée. À en juger par leur habillement, la plupart de ces familles faisaient partie de la bourgeoisie américaine qui s'était déplacée de Boston spécialement pour l'occasion. On y voyait des femmes portant des larges chapeaux pour se protéger du soleil, des hommes endimanchés, mais surtout une cinquantaine d'enfants gâtés qui se plaignaient sans cesse de la chaleur ou du temps d'attente. Stanislas chercha son frère jusqu'à ce qu'il l'aperçoive s'apprêtant à dérober subtilement le billet d'une fillette qui ne se doutait de rien. Stanislas le tira par le col de son veston, juste avant qu'il ne commette son vol.

— En plus de tous tes défauts, je dois ajouter que tu es un voleur? proféra-t-il.

— Du calme! Je lui aurais remboursé! se défendit-il tandis que Stanislas tirait sur son veston jusqu'à l'étouffer.

— Tu te moques de moi? Tu ne la connais même pas! Maintenant, viens avec moi, on retourne à la maison immédiatement! La parade va bientôt commencer, il faut te costumer. Tu n'as rien à faire ici! sermonna-t-il, alors que Mathias le repoussait pour qu'il lâche prise.

— Vas le faire, toi, le Saint-Jean-Baptiste, si ça te plaît autant! Tu ne me feras pas changer d'avis! Louis Cyr risque d'entamer bientôt une tournée en Europe. Peut-être que je n'aurai plus jamais l'occasion de le voir ! Tu ne comprends pas ce que cet homme représente pour moi ! hurla-t-il si fort que des curieux se retournèrent pour les regarder se chamailler.

— C'est toi qui as été désigné pour jouer saint Jean Baptiste cette année ! Tu dois respecter tes engagements ! Et combien de fois dois-je te répéter que nous n'avons pas le droit d'être ici ? Nous sommes catholiques, l'as-tu oublié ? Bon sang, Mathias, il me semble que ce n'est pas compliqué à comprendre !

— Ce n'est pas écrit sur nos fronts ! Ils ne s'en douteront jamais ! Je sais, par contre, comment te faire changer d'idée. Tu ne sauras jamais ce que j'ai entendu dans la foule. Tu savais que la foire avait invité des écrivains ? Eh bien ! imagine-toi qu'ils ont même pris la peine d'inviter Jules Verne qui viendra donner une conférence !

— Jules Verne ? Ici ? Dans une petite ville comme Lowell ? Nous parlons bien du célèbre auteur de *Vingt mille lieues sous les mers*, *Le tour du monde en quatre-vingts jours* et *L'île mystérieuse* ? Tu es sûr que tu ne te trompes pas d'auteur ? suspecta Stanislas, éberlué. Il avait emprunté ces romans une bonne dizaine de fois à la bibliothèque, tant il les adorait.

— Je te le jure sur la tête de notre père ! Pourquoi crois-tu qu'il y a autant de monde ici ? Il paraît qu'il est venu en voyage d'affaires à Boston et que les organisateurs de la foire ont réussi à le convaincre à la dernière minute de faire un petit détour à Lowell. Ce n'est pas fantastique ? Toi qui n'arrête pas de me casser les oreilles avec ses histoires ennuyantes ! Pendant que je regarde mon spectacle d'hommes forts, tu pourrais assister à sa conférence ! Qu'en penses-tu ?

— Je ne sais pas… Ce n'est pas une bonne idée…

— Allez ! Je vois que tu en meurs d'envie ! C'est ton anniversaire à toi aussi. Il faut te gâter ! argua-t-il, voyant que Stanislas était sur le point de craquer.

— Bon, d'accord… abdiqua-t-il en sortant sa pièce de 25 cents. Mais pas trop longtemps, compris ?

— Promis ! Ah ! je savais que je pouvais compter sur toi ! Tu es vraiment le meilleur ! hurla Mathias, excité.

Les garçons se placèrent au bout de la file d'attente. Comme Mathias l'avait prédit, personne ne se souciait de savoir s'ils étaient catholiques ou non. Une fois dans le parc, les jumeaux furent aux anges tant l'atmosphère était joviale et sereine. Il y avait des carrousels, des forains qui ne cessaient d'interpeller les passants pour qu'ils essayent leurs jeux, des marchands de crème glacée, des musiciens, des jongleurs, des spectacles de chiens savants ainsi que des clowns maladroits faisant des grimaces aux enfants.

— Bon, eh bien, c'est ici qu'on se sépare, mon petit Stan ! Je ne veux pour rien au monde rater mon spectacle ! décréta-t-il en se tournant vers le chapiteau.

— Hé ! attends ! Je ne sais même pas où Jules Verne doit donner sa conférence ! dit Stanislas, en regardant autour de lui.

— Ah oui ! Je me suis un peu trompé ! Je voulais plutôt dire qu'il était venu donner une conférence. C'était il y a deux jours, le 22 juin, je crois. Je suis vraiment trop bête, désolé ! C'était à toi d'être plus à l'affût de l'actualité, après tout, jeta-t-il en détalant, heureux d'avoir à nouveau dupé son frère.

— Mathias, tu as fait exprès de me tromper ! cria-t-il en serrant les poings. Après quelques minutes, il se calma et décida de profiter de la foire jusqu'au retour de son frère. De toute façon, au point où il en était, cela ne servait à rien de rester à bouder.

Il observa donc les diverses attractions offertes jusqu'à ce qu'il atteigne le *Bookworm's Corner*, un coin de la foire où certains écrivains, profitant de l'affluence que ce genre d'événement attire, tentaient de promouvoir leurs écrits. Ils n'étaient d'ailleurs pas les seuls artisans qui profitaient de cet attroupement : des peintres, des potiers et des sculpteurs en faisaient autant. La plupart d'entre eux n'étaient que d'illustres inconnus ou des auteurs amateurs ; la Ville de Lowell n'aurait jamais eu les moyens d'inviter de grands noms comme Mark Twain, Lewis Carroll ou Henry Wadsworth Longfellow, au grand dépit de Stanislas.

Soudain, son cœur se mit à battre la chamade lorsqu'il aperçut, à l'un des kiosques, un vieil homme de grande taille, vêtu d'un habit, arborant une barbe argentée, presque rectangulaire tant elle était bien taillée et entretenue. Il empaquetait ses affaires dans sa mallette, d'un air plutôt bourru. Pour Stanislas, ça ne faisait aucun doute : il était en face de Jules Verne. Il se rappelait très bien avoir vu une gravure de son portrait dans un de ses romans et il s'agissait bien de cet homme. S'il était véritablement venu deux jours auparavant comme Mathias l'avait prétendu, peut-être avait-il décidé de prolonger son séjour. Les mains moites, Stanislas prit son courage à deux mains et décida de lui adresser la parole.

— Pardon, monsieur… prononça-t-il timidement.

— Que me veux-tu, gamin ? Tu ne vois pas que tu me déranges ? Je m'apprête à partir, répondit sèchement l'homme, en classant sa paperasse et ses bouquins. Ses yeux bleu-gris aux paupières tombantes trahissaient sa fatigue, rappelant à Stanislas le regard qu'avait son père lorsqu'il revenait du travail.

— Vous êtes bien Jules Verne ?

— Jules Verne ? Et quoi encore ! Saint-Nicolas, peut-être ? Écoute, je n'écris pas pour les morveux. Les thèmes complexes abordés dans mes bouquins ne t'intéresseront sans doute pas, alors fiche le camp et va plutôt t'amuser avec tes petits camarades, le rabroua-t-il sans délicatesse, ce qui blessa Stanislas.

Il savait plus que n'importe qui combien il est insultant d'être confondu avec quelqu'un d'autre, mais son erreur ne méritait pas une telle rudesse de la part de cet homme.

— Je suis vraiment désolé, monsieur, mais c'est que mon frère m'a dit que Jules Verne était venu donner une conférence, il y a deux jours, et lorsque je vous ai vu, je trouvais plausible que vous soyez…

— Tu es vraiment naïf, mon garçon! Tu crois vraiment qu'un grand écrivain tel Jules Verne serait venu perdre son temps dans le festival local d'une petite ville ouvrière qui a sans doute un taux d'ignorance aberrant? Il ne faut pas rêver! Cette ville pauvre et sale ne peut inviter que des auteurs ratés dans mon genre, tellement mauvais qu'ils ne sont jamais publiés par les grandes maisons d'éditions du pays! La honte! Et ce qui m'enrage le plus, c'est de voir des jeunes – comme ce prétentieux de Jules Verne qui a 10 ans de moins que moi – qui goûtent au succès alors que je n'arrive même pas à vendre 1 000 copies de mes œuvres! Lorsque j'ai troqué ma vie de marin pour celle d'écrivain, jamais je n'aurais cru qu'il allait être aussi ardu de percer le milieu littéraire.

— Il ne faut pas dire ça, monsieur. Plusieurs artistes n'ont connu la célébrité qu'après leur mort, vous savez. Pourriez-vous me dire votre nom, monsieur? Peut-être que j'ai déjà lu l'un de vos ouvrages, qui sait. Je lis beaucoup.

— Herman Melville. Mais ça m'étonnerait beaucoup que tu me connaisses. Tu dois être encore à lire *Le Petit Chaperon rouge* ou *Blanche-Neige*.

— Herman Melville? Vous êtes l'auteur de *Moby Dick,* pas vrai? J'ai déjà emprunté ce livre, par hasard, à la bibliothèque. Que ce soient vos références à la Bible, l'analogie que vous faites entre la chasse à la baleine et la quête de la connaissance, votre théorie sur l'intelligence des cétacés ou vos réflexions sur la petitesse de l'homme en regard des forces de la nature, j'ai tout lu avec grand intérêt. On voit que vous connaissez votre sujet sur le bout des doigts! Je suis convaincu que ce roman deviendra un classique! Il faut simplement laisser le temps aux gens de l'apprivoiser, ce que le capitaine Achab de votre histoire n'a jamais réussi à faire avec cette baleine blanche…

C'était au tour d'Herman Melville d'être sous le choc. Comment un gamin d'une douzaine d'années pouvait-il s'intéresser à son roman comme personne auparavant? Considérant son habillement, il se doutait bien qu'il n'avait pas affaire à un garçon bien nanti qui aurait reçu une éducation classique. Voyant qu'il était loin de s'adresser à un idiot comme il le croyait au début, il décida d'en apprendre un peu plus sur lui.

— Si tu savais les critiques négatives que j'ai eues sur cet ouvrage ! Tu es bien le seul à l'avoir apprécié et à avoir compris toute sa profondeur et son symbolisme. Comment t'appelles-tu, mon garçon ? demanda l'homme d'un ton beaucoup plus amical.

— Stanislas Demers. C'est un honneur de faire votre connaissance, monsieur Melville, dit-il en lui serrant la main.

— Demers ? C'est un nom canadien français, si je ne m'abuse ? Cela m'étonne de voir une telle lucidité chez un Canadien français, qui plus est, si jeune ! Tu sais, j'ai eu souvent l'occasion de me rendre au Québec lorsque j'étais matelot sur un baleinier. Je connais bien le fleuve Saint-Laurent, l'âme de votre pays. De quelle région du Québec es-tu originaire, Stanislas ?

— De la Gaspésie. J'habitais un petit village de pêcheurs appelé Percé, avant d'emménager ici avec mon père et mon frère.

— Ah ! Percé et son gigantesque rocher ! Je me souviens d'y avoir séjourné alors que ce rocher avait encore deux trous ! Tu vois que ça ne date pas d'hier ! Du sang de marin coule donc dans tes veines, toi aussi. Pour avoir su lire entre les lignes de *Moby Dick,* tu es sans doute l'un des rares à pouvoir écouter et comprendre l'incroyable découverte que j'ai faite, il y a une quarantaine d'années, durant l'un de mes voyages… Depuis le temps que je cherche une oreille attentive à mon récit… Si ça t'intéresse, bien sûr. Dis-moi, Stanislas, quelle perception as-tu des cétacés ? questionna l'homme en l'invitant à s'asseoir sur un tabouret.

— Eh bien, la plupart des gens croient qu'il s'agit de gros poissons, mais, en réalité, ils possèdent des poumons et respirent le même air que nous. C'est pourquoi ils doivent remonter régulièrement à la surface pour prendre de l'oxygène, s'ils ne veulent pas mourir.

— Ne t'es-tu jamais demandé pourquoi Dieu aurait incommodé l'une de ses créatures de la sorte ? Pourquoi les aurait-il condamnées à dépendre de la surface des eaux alors que les océans sont si vastes ?

— J'ai déjà lu que les cétacés auraient, il y a très longtemps déjà, vécu sur la terre ferme et qu'ils auraient gardé ce lointain vestige de leur vie passée. C'est ce que plusieurs scientifiques affirment, en tout cas.

— Les cétacés ont effectivement déjà vécu sur la terre ferme durant une période, mais c'était pour nous aider à développer notre civilisation. Sans eux, l'humanité ne serait sans doute pas ce qu'elle est aujourd'hui. Les critiques m'ont reproché – dans *Moby Dick* – d'avoir donné à ma baleine une conscience et une intelligence trop humaines. S'ils le croient, c'est que les cétacés ont réussi à berner les hommes, comme ils l'espéraient, pour que nous ne découvrions pas leur secret. Ils passent à nos yeux pour de vulgaires bêtes, mais certains de leurs gestes trahissent leur comédie…

— Que voulez-vous dire ?

— Combien de leurs semblables furent harponnés ? Combien ont servi à fabriquer de l'huile afin de nous protéger des froids de janvier ? Combien ont servi comme de bêtes de cirque ? Les cétacés sont les plus grandes et les plus puissantes créatures de la planète. Ils n'auraient eu aucun mal à nous attaquer et à détruire nos embarcations d'un simple coup de nageoire. Pourtant, ils font comme si de rien n'était… Et tu sais pourquoi ? Parce que les cétacés ont fait un pacte avec Dieu, il y a des milliers d'années, et ce pacte les empêche de nous faire du mal. Pourquoi les dauphins sauvent les gens de la noyade ? Pourquoi les épaulards nous défendent-ils contre les requins ? Les marsouins aident les pêcheurs en poussant les poissons dans leurs filets et les baleines à bosse sautent hors de l'eau pour guider les marins perdus. Pourquoi tiennent-ils autant à être les alliés des hommes malgré tout le mal que nous leur faisons ? Eh bien, c'est à cause de ce pacte qui perdure depuis maintenant plus de 20 000 ans…

— Un pacte ? Mais qui vous a raconté cela ? Ce n'est pas que je ne vous croie pas, mais on dirait l'intrigue d'un roman scientifique de Jules Verne, justement. Vous comptez vous diriger vers ce créneau vous aussi ?

Herman ouvrit sa mallette et en sortit un journal de bord noir aux pages jaunies.

— En 1841, alors que je n'avais que 22 ans, je me suis embarqué sur un baleinier en route vers l'Australie. D'aussi loin que je me souvienne, j'ai toujours eu un caractère bien trempé qui ne plaisait pas nécessairement à tous. Après 18 mois de croisière, j'ai eu un violent différend avec le capitaine. Ne pouvant supporter davantage son autorité, j'ai déserté l'équipage lorsque nous avons fait escale sur une petite île polynésienne. J'y ai fait connaissance avec un peuple indigène pacifique et accueillant : les Taïpis, qui m'ont accueilli à bras ouverts, comme si j'étais l'un des leurs. C'est d'eux que j'ai appris l'existence de Cétacia, le royaume des cétacés. J'ai noté tout ce que l'on me racontait dans ce journal, narra l'homme en le remettant au blondinet pour qu'il le feuillette.

Stanislas observa rapidement la quantité de textes écrits dans ce journal, mais également les croquis qu'avait pris la peine de dessiner Melville. Tout était détaillé avec tant de précision qu'il perdit son scepticisme. Il y vit, entre autres, le croquis d'une magnifique ville lui rappelant la Grèce antique avec ses bâtiments à colonnes et ses temples. Il feuilleta un peu plus loin, il aperçut les dessins de créatures nues, à la forme humanoïde et androgyne, paraissant très grandes et sveltes. Le seul moyen de reconnaître le sexe de ces êtres était leur poitrine. Leurs orteils et leurs doigts étaient palmés. Ils n'avaient pas d'oreilles et possédaient tous de larges yeux noirs. Ils avaient des chevelures étranges, mais qui leur donnaient un semblant d'humanité.

— Qui sont ces gens? demanda Stanislas, impressionné par le physique de ces êtres.

— La véritable apparence des cétacés, telle que décrite par les Taïpis. Celle qu'ils nous cachent…

— Vous croyez donc que…

— Oui, les cétacés seraient des géants qui auraient développé une civilisation parallèle à la nôtre, sous les océans. À cause d'une guerre qu'ils auraient déclenchée contre les premiers humains, ils auraient été punis par Dieu. Celui-ci aurait métamorphosé leurs branchies en poumons, tout en les gardant dépendant de l'eau. Coincés entre deux mondes, les cétacés ne purent ainsi ni intégrer le monde terrestre ni retourner vivre à Cétacia, au fin fond des océans, sans risquer de manquer d'oxygène, ce qui les laisse errer éternellement près de la surface des eaux. Dieu, dans sa bonté infinie, leur donna tout de même une chance de se repentir: si pendant 20 000 ans ils vivaient en bon terme avec les hommes, il retransformerait leurs poumons en branchies pour leur permettre de regagner leur royaume. Bien que les cétacés aient respecté ce pacte pendant toutes ces années, il manquait une autre preuve ultime de leur bonne foi. La Grande Baleine Bleue, reine du peuple des cétacés, aurait été chargée par Dieu de donner naissance à un Messie. Un enfant mi-humain, mi-cétacé, symbole éternel d'harmonie, de fraternité et de paix entre nos deux mondes. Cet enfant serait celui qui délivrerait les cétacés de leurs souffrances et les guiderait vers leur Éden, où il deviendrait le nouveau souverain. Pour réaliser cette prophétie, les cétacés transférèrent l'âme de la Grande Baleine Bleue dans le corps d'une humaine qui s'était noyée, afin de l'envoyer à la recherche d'un homme qui devrait sincèrement l'aimer. Hélas ! on raconte que les cétacés auraient perdu la trace de leur reine et que leurs espoirs se seraient, dès lors, évanouis avec sa disparition…

L'attention de Stanislas fut soudainement détournée.

— Lâche-moi, gros lard! Tu m'as fait honte devant mon idole! Je ne te le pardonnerai jamais! J'étais à deux doigts de lui serrer la main! Je te déteste! cria la voix lointaine d'un gamin fou furieux.

— Mathias! sursauta Stanislas, reconnaissant sa voix perçante. Il partit brusquement, laissant l'écrivain sans même un regard d'excuse.

— Hé! où vas-tu comme ça? N'oublie pas de me rapporter mon journal! héla encore l'homme en espérant que le garçon l'entende, mais il était déjà trop loin.

Après quelques pas de course, Stanislas aperçut un homme assez costaud qui tenait Mathias sous son bras alors que celui-ci se débattait violemment. Avant qu'il ait le temps de réaliser quoi que ce soit, Stanislas sentit une main l'agripper par l'épaule.

— C'est bon, Harry! J'ai trouvé l'autre fauteur de trouble! dit l'homme à son partenaire.

— Alors, les petits curieux... Vous ne savez pas lire...? Ou cela vous fait plaisir de défier le règlement? Vous n'aviez qu'à vous convertir... Et devenir de bons petits protestants... Citoyens américains, si cette foire vous plaisait tant... s'entrecoupaient les hommes en les entraînant vers la sortie.

— Comment vous avez fait pour deviner que nous ne sommes pas protestants? s'enquit Stanislas.

— Un bon petit Irlandais a eu la gentillesse de nous prévenir. Nous l'avons récompensé en lui permettant exceptionnellement d'assister à la représentation de son choix, en espérant que cela incite d'autres catholiques à dénoncer leurs pairs un peu plus rebelles.

— Ça doit être un coup de *Fat*! Il va me le payer, celui-là! Je n'aurais jamais dû lui dire que j'avais l'intention de venir ici! J'ai été trop bête! grogna Mathias.

— Mais, monsieur, nous avons payé nos billets comme tout le monde! Pourquoi nous mettre à la porte? demanda poliment Stanislas.

— C'est notre moyen de pression pour que vous renonciez à votre religion! Nous nous sommes dit que si nous offrons des privilèges aux protestants, cela allait peut-être vous inciter à vous convertir une bonne fois pour toutes! Vous commencez à être beaucoup trop nombreux dans ce pays! Vous l'infestez comme des rats! Si nous ne faisons rien, vous allez nous envahir!

Les deux hommes raccompagnèrent froidement les gamins à la sortie du parc en leur ordonnant de ne plus y remettre les pieds, car, sinon, ils informeraient les autorités.

— Sales *WASP!* Je vous déteste! Vous n'êtes que des porcs! cria Mathias, rageant de colère en tapant du pied.

Stanislas resta silencieux et pensif. Il s'aperçut qu'il avait gardé, par distraction, le journal de bord d'Herman Melville. Comme il était banni de la foire, il se demanda comment il pourrait le lui retourner. Il devait par contre s'avouer qu'il n'en avait pas réellement envie; la découverte que lui avait dévoilée cet ancien marin avait profondément éveillé sa curiosité. Il voulait en apprendre davantage sur Cétacia, ce royaume endormi au fin fond des océans qui n'attendait qu'à renaître...

CHAPITRE III

Une lettre d'une sirène

— Toi, on peut dire que tu as toujours le don de me remonter le moral ! Des baleines qui vivent comme des hommes. Désolé, mais j'ai beaucoup de difficulté à imaginer un marsouin faire des emplettes ou un cachalot faire des pâtisseries ! Comment arriveraient-ils à faire tout ça avec leurs nageoires, dis-moi ? s'exclama Mathias, le souffle court tant il riait, ce qui insulta grandement Stanislas.

Pour lui changer les idées, Stanislas avait décidé de raconter ce que cet écrivain lui avait confié tout en marchant tranquillement vers leur quartier. De toute évidence, Mathias n'adhérait pas à cette théorie aussi facilement que lui.

— Tu n'as rien écouté de ce que je t'ai dit ! Ce sont des géants qui ont des corps de forme humaine comme toi et moi. Regarde, exactement comme ça, s'insurgea Stanislas en lui montrant les croquis d'Herman Melville.

— Pourquoi es-tu si naïf ? Je t'aurais raconté ces mêmes histoires et tu aurais été le premier à me traiter d'imbécile.

— Parce que ce récit vient d'un homme de la haute société et non d'un ivrogne voulant se rendre intéressant ou de mon frère qui ment comme il respire. Monsieur Melville a sans doute mieux à faire que de raconter des salades ! Et puis, ses propos sont plutôt logiques. Admets que c'est étrange que les cétacés soient les seules créatures marines à posséder des poumons. Ils doivent constamment retourner à la surface pour respirer. Tu trouverais ça commode, toi, si tu devais plonger ta tête dans un seau d'eau aux quinze minutes pour pouvoir respirer ? Aucun homme n'a jamais pu explorer les profondeurs de la mer. Qui sait si Cétacia ne s'y trouverait pas ? Rien ne nous prouve le contraire, jusqu'à maintenant.

— Et cette histoire de Grande Baleine Bleue qui doit donner naissance à un Messie, comment l'expliques-tu ? Je m'excuse, mais je croyais plutôt entendre le vieux Cadoret nous faire le catéchisme. Ce Messie est censé naître dans une étable sous-marine, entre une morue et un saumon au lieu d'un bœuf et d'un âne, je suppose ? railla Mathias, qui ne pouvait s'empêcher de rire à nouveau.

— Tu es vraiment pitoyable, il faut toujours que tu me ridiculises…

— Allons, Stan, ne le prends pas comme ça. Allez, continue de me lire ce journal. Ça pourrait devenir intéressant !

Même s'il savait que son frère voulait sans doute en profiter pour se moquer davantage de lui, Stanislas se plia à sa demande, car il en avait de toute façon très envie :

> *17 avril 1841,*
>
> *Les Taïpis sont sans doute la peuplade autochtone la plus incroyable qu'il m'ait été permis de rencontrer au cours de mes voyages. S'ils ne disposent, pour la chasse et l'agriculture, que d'outils primitifs et rudimentaires, ils possèdent néanmoins un savoir équivalent à celui des plus grands savants de notre siècle. Comment un peuple isolé sur son île a-t-il pu apprendre par lui-même ce que notre civilisation a mis des centaines d'années à attester ? Les Taïpis savent depuis longtemps que la Terre est ronde, que*

le Soleil tourne autour de celle-ci, qu'il y a 365 jours dans une année et que l'Homme descend du singe. Après avoir entendu ces grandes vérités de leur bouche, comment ne pas être tenté de les croire lorsqu'ils m'ont fait part de l'existence de Cétacia et de la vraie nature des cétacés?

Les Taïpis racontent qu'il y a des milliards d'années, la vie apparut au sein des mers. Certaines créatures audacieuses s'aventurèrent sur la terre ferme et commencèrent à la peupler. Par sagesse, les autres décidèrent de demeurer sous l'eau. C'est ainsi que les êtres vivants se séparèrent en deux clans bien définis : ceux qui possèdent des branchies et ceux qui possèdent des poumons. Seulement, les créatures à poumons n'avaient pas pris en considération les dangers que le monde terrestre pouvait représenter. Ils durent subir de terribles cataclysmes : des volcans colériques aux étoiles tombées du ciel, en passant par des grands froids meurtriers qui n'épargnaient chaque fois que quelques rares survivants. Ainsi prirent-ils sans cesse du retard dans leur développement. Les créatures à branchies, quant à elles, protégées de toutes ces catastrophes, purent tranquillement évoluer sans que rien puisse les entraver…

C'est ainsi qu'apparurent les cétacés. Première espèce dotée d'un langage, d'une conscience et d'une intelligence, ils usèrent de ces dons pour créer une civilisation qu'ils nommèrent Cétacia. Blotti au fin fond des océans, là où même les rayons du soleil n'arrivaient pas à pénétrer, le royaume de Cétacia couvrait les fonds marins de la planète entière. Cet empire réussit à atteindre de hauts niveaux technologiques encore inégalés aujourd'hui, allant jusqu'à leur permettre d'utiliser l'énergie du noyau terrestre pour faire fonctionner leur machinerie. Les cétacés avaient un rythme de vie semblable à celui que les hommes connaissent. Les poissons étaient leurs oiseaux, nageant au-dessus de leurs terres, et les paysans avaient domestiqué les raies et les requins, comme l'Homme le fit plus tard avec les chevaux et les bœufs.

Un jour, les cétacés découvrirent quelque chose d'incroyable : les créatures à poumons avaient finalement réussi à évoluer en une espèce intelligente semblable à eux, capable d'apprendre et de comprendre. C'était les humains. Les cétacés interprétèrent cette nouvelle comme une menace. Et s'ils utilisaient leur intelligence à mauvais escient ? Si ces créatures à poumons étaient conscientes de leur existence, peut-être qu'elles en profiteraient pour tenter de les dominer puisqu'elles possédaient, dans leurs gènes, l'ambition de leurs lointains ancêtres qui s'étaient aventurés sur la terre ? L'humanité n'étant encore qu'à ses balbutiements, deux solutions devaient être envisagées avant qu'il ne soit trop tard : les exterminer avant que les humains ne les exterminent ou les aider à emprunter la bonne voie. Après de longues discussions, les cétacés se prononcèrent : ces créatures avaient le droit de vivre et d'exister, à la seule condition qu'ils les supervisent dans leur développement.

Voyant qu'ils voulaient sincèrement aider à mettre sa nouvelle création sur le chemin de la sagesse, de la fraternité et de l'amour, Dieu supporta leur noble cause en leur donnant le pouvoir de respirer de l'air et de marcher sur la terre, afin que les cétacés puissent entrer en contact avec les humains et agir comme missionnaires en son nom. Le premier contact entre les deux espèces fut plutôt pacifique. Les premiers hommes prirent les cétacés pour des géants bienveillants et leur vouèrent admiration et dévouement.

Les cétacés les aidèrent à créer une civilisation à l'image de Cétacia. Grâce à eux, nos ancêtres apprirent les bases de l'agriculture, de l'architecture, de la médecine, de la philosophie, des sciences et des mathématiques. Seulement, le savoir de ces êtres à poumons s'aiguisait au même rythme que leur désir de prendre leur destin en main. Et pour cause, car les cétacés abusèrent de leur influence sur les hommes, un peu comme si jouer les dieux leur était monté à la tête. Ils finirent par traiter leurs protégés comme de vulgaires esclaves et, un jour, les hommes se rebellèrent contre les cétacés. Dans leur désir de prendre le pouvoir, les hommes avaient réussi à inventer quelque chose que les cétacés ignoraient totalement : la guerre. Les humains étaient cependant très loin de faire le poids contre les cétacés qui les remettaient aisément au pas. Ce conflit devint le plus meurtrier que la Terre ait jamais connu dans son histoire. Les hommes avaient au moins une caractéristique qui finit par leur donner la supériorité : ils étaient d'une persévérance sans limites. Voir leurs semblables périr un à un aurait dû les dévaster, mais cela leur donna davantage de courage et de motivation à acquérir leur liberté et à venger leurs pairs.

Lorsque les humains réussirent à assassiner le roi de Cétacia, dans la panique, les cétacés prirent la décision d'exterminer toutes les créatures à poumons, croyant qu'elles devenaient incontrôlables.

À l'aide de leur technologie développée, ils créèrent une gigantesque vague qui engloutit la Terre entière, où seules les créatures possédant des branchies avaient une chance de survivre. La Terre fut recouverte d'eau pendant quarante jours et quarante nuits. Fidèles à eux-mêmes, grâce à leur incroyable volonté, les êtres à poumons survécurent à ce déluge. Ils réussirent à rebâtir leur monde en se basant sur les fragments de souvenirs qui leur restaient de ce que les cétacés leur avaient appris.

La plupart des humains, désormais éparpillés aux quatre coins de la planète, oublièrent l'existence des cétacés et ce que ce peuple avait fait pour eux. Pourtant, il n'est pas rare de retrouver dans nos mythes et croyances des allusions à cette rencontre qui n'aurait pas dû avoir lieu. Atlantide, Lémurie, Mû, Ys ou Arcadia font en réalité référence à Cétacia. Les légendes relatant les luttes sanglantes contre ogres, cyclopes ou titans parlent en fait de ces géants des mers, qui passent maintenant aux yeux des hommes pour de simples animaux. L'intervention des cétacés auprès des humains fut donc un échec. À cause d'eux, les hommes avaient pris conscience de ce qu'étaient le mal, l'avarice, la domination, le vol, le vice, la traîtrise, la violence et l'injustice. Dieu ne pardonna pas le geste des cétacés. Ils avaient perverti sa plus belle création et il lui serait dorénavant impossible de retourner à son innocence d'antan. C'est pourquoi il punit les cétacés en métamorphosant leurs branchies en poumons pour les bannir à jamais de Cétacia tout en les empêchant de vivre sur la terre ferme sous peine que le soleil les assèche. Ce Messie qu'ils attendent serait donc leur seul espoir de quitter cette vie sans patrie, car…

— Car? Car? Hé! Ho! pourquoi t'es-tu arrêté subitement de lire? s'offusqua Mathias, soudainement intéressé.

— La parade de la Saint-Jean-Baptiste! Mon Dieu, nous l'avons complètement oubliée! Vite, Mathias, amène-toi! l'éperonna Stanislas en fermant le journal.

— Pas besoin de te presser comme ça, mâchonna-t-il en espérant secrètement arriver en retard.

Revenus à leur logis, ils entendirent les cloches de l'église sonner l'angélus, signifiant qu'il était 18 heures. Il y avait bien longtemps que la parade avait eu lieu. Quand ils pénétrèrent dans la cuisine, ils aperçurent leur père assis à la table en train de fumer tranquillement la pipe. Les jumeaux savaient que lorsqu'il sortait sa pipe, c'était parce que quelque chose le contrariait. Pour Mathias, cette manie était aussi synonyme de fessée. Incalculable était le nombre de fois où son attitude polissonne avait transformé son derrière en tomate par l'intermédiaire de Joseph, qui perdait parfois son sang-froid quand le plus turbulent de ses fils dépassait les bornes. Les jumeaux se dirigèrent à pas de loup vers leur chambre pour ne pas se faire remarquer. Leur père les interpella:

— Arrêtez de faire comme si vous ne m'aviez pas vu et assumez votre comportement. Approchez-vous, dit Joseph d'une voix autoritaire avant de remettre sa pipe dans sa bouche.

Les jumeaux obéirent et se rendirent honteusement dans la cuisine, sachant très bien qu'ils seraient réprimandés.

— J'espère que vous avez une bonne raison à me donner pour expliquer votre absence à la parade…

— Eh bien… Eh bien… J'ai… En fait, nous avons… cafouillait Mathias, mais Stanislas, qui en avait assez de tous ces mensonges, décida de révéler la vérité à son père.

— Louis Cyr donnait une représentation à une foire et Mathias voulait absolument y assister. J'ai essayé de l'en empêcher, mais il n'a rien voulu entendre!

— Tu peux bien parler, toi! Tu aurais dû voir ta tête quand je t'ai annoncé la présence de Jules Verne! Avoue que ça te plaisait autant qu'à moi d'aller à cette foire!

— Pas assez pour manquer à mon devoir!

— Ça suffit! Je me fiche de savoir qui est le responsable! Je ne sais pas ce qui vous a pris de faire une chose aussi grossière et irrespectueuse. Vous me décevez les garçons, cria Joseph en s'approchant de ses fils.

— Voyons, papa, ce n'est pas si grave que ça! protesta Mathias.

— Pas si grave que ça? La parade de la Saint-Jean-Baptiste a été annulée à cause de vous deux! Si vous saviez à quel point les habitants du *Petit Canada* étaient attristés d'apprendre la nouvelle. Je vous rappelle que nous, les Canadiens français, avons fait beaucoup de sacrifices et de pressions auprès des employeurs afin que le 24 juin devienne férié. Pour certains, il s'agit d'un moment sacré qui ne se produit qu'une fois par an. À cause de votre égoïsme, ils en ont été privés. Demain, les ouvriers devront retourner à leur misérable quotidien et patienter jusqu'à l'an prochain, afin de pouvoir revivre cet instant qu'ils ont attendu toute l'année!

— J'étais libre de faire ce qui me plaisait le plus! Tu n'arrêtes pas de nous dire que la liberté est une notion que tout homme doit prioriser, mais c'est comme si nous, nous n'avions pas le droit d'en bénéficier! Et puis, pourquoi tu te soucies autant des habitants du quartier? Tu savais qu'ils n'arrêtent pas de parler dans ton dos? Tu ne viens jamais à la messe, alors pourquoi tu tiens autant à ce qu'on joue saint Jean Baptiste à la parade pour faire plaisir à tous ces idiots? Peut-être que ça te plaît, mais moi j'en ai rien à cirer de cette fête! hurla Mathias.

Sans prévenir, son père lui asséna une gifle si violente qu'il tomba à la renverse.

— C'est lorsque j'entends des insolences pareilles que je m'aperçois que je t'ai trop gâté, Mathias Demers! Es-tu conscient du travail que les ouvriers exécutent dans les fabriques ? Nous avons très peu de moments de répit et encore moins de temps pour festoyer ! Tu ne te rends donc pas compte de l'importance de cet événement ? Comment t'ai-je élevé pour que tu sois aussi égoïste ? Tu n'as qu'un seul devoir à faire durant l'année et il a fallu que tu t'en sauves ! Tu n'es vraiment qu'un petit garçon ingrat, paresseux et opportuniste, s'égosilla Joseph avant d'être submergé par une quinte de toux qui s'éternisa pendant un long moment.

Mathias serrait les dents de rage en tenant sa joue rougie.

— C'est à cause de toi si nous avons dû quitter notre pays pour vivre dans ce taudis ! Personne ne t'a demandé de vendre *La Sirène Bleue* ! C'est toi l'égoïste et l'opportuniste dans cette histoire ! Je te déteste ! hurla Mathias, la voix chevrotante, avant de claquer la porte de sa chambre.

— Mathias, attends ! lança son frère en le rejoignant.

Boudeur, Mathias admira par la fenêtre les quelques feux d'artifice annonçant l'épilogue de la Saint-Jean-Baptiste. Ils étaient beaucoup moins impressionnants que ceux qu'ils pouvaient admirer le 4 juillet, lorsque les riches Américains célébraient le Jour de l'Indépendance.

— Je ne veux plus jamais le revoir ! affirma Mathias, en se frottant la joue.

— Arrête, Mathias, tu ne penses pas ce que tu dis !

— Si, je pense ce que je dis ! Papa n'est qu'un imbécile, il mériterait qu'on s'en aille ! Si tu savais comme je le hais, Stan ! Tu ne te rends donc pas compte que c'est de sa faute si nous avons dû quitter Percé ? Si tu savais comme notre village me manque, Stan. Nous étions si heureux, soupira-t-il avec des sanglots dans la voix.

Il regarda, avec tout autant de nostalgie qu'en avant-midi, quelques-unes des photos de la vieille boîte à biscuits que Joseph avait retrouvée. Mathias éprouvait maintenant de la colère d'avoir perdu leur ancienne vie. Dans un accès de rage, il prit de ses mains tremblantes le coquillage qui appartenait à leur mère et le lança violemment contre le mur où il éclata en mille miettes.

— Mais qu'est-ce qui t'as pris? C'était le seul souvenir qu'il nous restait de maman! lui reprocha Stanislas en s'agenouillant pour contempler les dégâts.

— Je m'en fous! dit Mathias en plongeant son visage dans son oreiller. Dans son cœur, il regrettait tout de même son geste impulsif.

Stanislas ramassa les morceaux du coquillage. Il se dit qu'avec un peu de chance, il lui serait possible de les recoller quand, soudain, il s'aperçut qu'à travers les morceaux il y avait une feuille de papier toute jaunie, pliée en quatre.

— Qu'est-ce que ça peut bien être?

— De quoi tu parles?

— On dirait que le coquillage contenait une lettre, s'exclama Stanislas.

— Une lettre de qui? De maman?

— Je ne sais pas.

— Alors, lis-la!

À mon enfant que je ne connaîtrai jamais,

Je sais que tu seras mon assassin… Je le sens tout au fond de mes entrailles. N'aie crainte, je ne t'en veux pas. Lorsque tu verras les autres enfants avoir une mère à enlacer, c'est moi que tu maudiras de t'avoir abandonné dans le monde des hommes… Ce monde rempli de haine, de violence et d'injustice qui a perdu son innocence depuis bien longtemps…

Je ne sais pas quel âge tu auras lorsque tu liras ces mots. Peut-être seras-tu trop jeune pour en saisir toute l'essence, mais mon enfant, sache que tu as été chargé d'une mission divine. Le destin d'un peuple repose sur tes épaules. Tu es la clé qui ouvrira la porte d'une ère nouvelle, où tous les êtres vivants s'aimeront les uns les autres. Tu es le Messie que nous attendons tous, nous pauvres pécheurs, le berger qui guidera son troupeau vers cet Éden dont nos ancêtres furent bannis par Dieu… Toi, l'enfant que je porte, tu es le digne héritier de ce royaume…

Tu es né dans le but de réclamer le pardon des hommes. Voilà ce que Dieu attend de toi. Sa création la plus parfaite doit apprendre à pardonner à ceux qui l'ont offensée. Pour y arriver, il te faudra aller à l'encontre des grandes vertus cardinales. Tu auras l'impression de régresser et de perdre ta conscience, mais il le faut pour obtenir rédemption… Tu feras souffrir ceux qui t'entourent, mais le cœur qui souffrira le plus sera le tien… Il brûlera de remords et de regrets et seul le pardon pourra apaiser sa douleur. Nous, pécheurs, serons dès lors délivrés de notre calvaire et nous ressusciterons dans cette nouvelle vie qui nous a été promise. Une vie où la faim, la maladie et la douleur ne seront plus… Là où les organes qui composent notre enveloppe charnelle ne nous seront d'aucune utilité.

Tu sauras que ta mission s'amorce le jour où tu auras pris conscience du témoignage de notre passé, contenu dans un livre qui te racontera la genèse de ton peuple. Tu sauras de quel livre il s'agit lorsque tu le tiendras entre tes mains.

Une âme naissante t'interpellera. Par son sacrifice sur la croix, elle te baptisera de son sang pur afin de te léguer son innocence. Son dernier soupir insufflera la vie à ceux qui en auront besoin, dans ce monde nouveau qui s'ouvre à nous. Ainsi commencera ta quête.

N'oublie pas les quatre vertus cardinales: la prudence, la tempérance, la force et la justice... Ce sont elles que tu trahiras, mais que tu embrasseras une fois que l'on t'accordera le pardon. Deux cœurs battent dans ta poitrine: l'un rempli de sagesse et l'autre de témérité. La faiblesse de l'un doit devenir la force de l'autre. Ils doivent battre au même rythme, ils ne doivent faire qu'un...

Ainsi je termine mon testament: tâche d'être un souverain épris de bonté et de justice comme le fut ton prédécesseur.

Les jumeaux restèrent un moment silencieux. Ils étaient d'abord très émus par cette lettre qui avait été écrite, de toute évidence, de la main de leur mère. Il y avait également ces étranges propos qui les avaient un peu secoués. Que pouvaient-ils bien signifier? Mathias jugea son hypothèse plutôt invraisemblable, mais décida d'en faire part à Stanislas.

— Stan... Ce sera à ton tour de me trouver fou, mais lorsque tu faisais la lecture de cette lettre, je n'ai pas arrêté de penser à cette histoire de Cétacia.

— Comment, toi aussi? demanda Stanislas, surpris que son frère ait pensé la même chose que lui, surtout qu'il ne semblait aucunement s'intéresser à Cétacia jusque-là.

— Est-ce que tu crois que... maman... notre mère serait la Grande Baleine Bleue dont t'a parlé cet Herman Melville? Je sais que ça paraît stupide, mais ça expliquerait peut-être pourquoi papa n'arrêtait pas d'affirmer qu'elle était une sirène! Peut-être que c'est ainsi qu'elle s'est présentée à papa... lui révéler qu'elle était en réalité une baleine l'aurait effrayé? Papa ne disait pas, aussi, que maman aimait chanter? Or, les baleines aussi chantent! Et cette histoire de livre dont elle fait mention, c'est sans doute le journal de bord de cet écrivain! Elle devait savoir qu'on trouverait ce livre et cette lettre la même journée ! C'est une drôle de coïncidence tout de même ! Tout concorde !

— Mathias, te souviens-tu que lorsque tu avais trois ans, tu es tombé à la mer ? se rappela Stanislas en prenant son frère par les épaules, comme s'il venait de réaliser quelque chose.

— Euh, oui. Papa m'a raconté cette histoire des dizaines de fois. Mais qu'est-ce que ça vient faire dans la discussion ?

— Te souviens-tu qu'il avait dit que tous les pêcheurs du village avaient été impressionnés de voir à quel point tu nageais bien ? Ils disaient qu'il était miraculeux qu'un enfant de cet âge survive à une telle noyade, avec tout ce courant. C'est peut-être dû à ton côté cétacé ? Et pourquoi papa disait que nous pouvions comprendre le langage de la mer ? Et les bélugas du Saint-Laurent qui suivaient *La Sirène Bleue,* de temps à autre lorsque nous étions à bord ? Peut-être essayaient-ils de nous dire quelque chose ?

— C'est bien trop vrai. Donc, ça voudrait réellement dire que nous…

— Oui, nous serions donc les Messies qu'attendent les cétacés pour que se réalise la prophétie. Nous sommes donc à moitié baleines de par notre sang ! Ce n'est pas étonnant que nous ayons toujours été attirés par l'océan depuis notre enfance. Que maman soit morte en nous mettant au monde expliquerait aussi pourquoi les cétacés avaient perdu sa trace.

— Mais pourquoi ne parle-t-elle que d'un seul Messie dans son testament ?

— Elle devait sans doute ignorer qu'elle attendait des jumeaux… Mais il y aurait peut-être une autre explication… Elle dit, vers la fin de sa lettre, que le Messie possède deux cœurs. Tu n'as jamais trouvé étrange que, pour des jumeaux, nous soyons si différents ? Regarde les jumelles Tanguay ou encore les jumeaux Bergeron qui habitent tout près d'ici. Toujours en train de faire les quatre cents coups, ceux-là ! Est-ce que tu les as déjà vus se chamailler ? Ils sont tout simplement inséparables, ils ont les mêmes goûts, jouent aux mêmes jeux alors que nous, nous avons énormément de difficulté à nous entendre pour à peu près tout. Alors qu'ils souffriraient d'être séparés, nous, nous y serions plutôt indifférents. Pourtant, nous avons été élevés de la même façon par le même père! D'ailleurs, je ne suis pas le seul à l'avoir remarqué: le curé Cadoret aussi et également de nombreux habitants du quartier.

— Tu veux dire que nous ne serions pas jumeaux?

— Pire. Tout me fait soupçonner que nous serions en réalité un seul et même individu.

— Comment?

— Maman parle d'un cœur rempli de sagesse et d'un cœur rempli de témérité. Ça ne te rappelle pas deux personnes? Nous nous complétons parfaitement, tels deux morceaux de casse-tête emboîtés l'un dans l'autre. Ça fait sans doute partie de notre mission, ça aussi. Les Taïpis affirmaient que les créatures à poumons étaient audacieuses alors que ceux à branchies étaient sages. Peut-être que nous représentons chacun un peuple et que l'âme du Messie aurait été séparée dans deux corps différents.

— Je n'arrive toujours pas à le croire. Si c'est bien vrai, tu te rends compte de l'importance que nous avons! affirma Mathias en se laissant tomber sur les genoux, tant il était choqué par ces découvertes inattendues.

— Il ne faut pas prendre la grosse tête pour autant. La mission qui nous a été confiée ne semble pas être une tâche aisée. Si nous l'acceptons, je crois qu'il va nous falloir beaucoup de courage et de détermination.

— Et alors? N'oublie pas que c'est moi la témérité! Je serai toujours là pour te supporter afin que nous puissions délivrer les cétacés, mais aussi nous délivrer de cette misérable existence, lança Mathias en s'approchant de son frère pour lui toucher le cœur.

— Et ma sagesse te tempérera lorsque tu iras trop loin... formula à son tour Stanislas en touchant la poitrine de son frère.

— Faisons honneur à maman… Aux cétacés et aux hommes… Nous, fils de la Grande Baleine Bleue, soyons les missionnaires de ce monde nouveau que nous bâtirons pour les générations futures… C'est le serment que nous faisons, prononcèrent-ils à l'unisson en se regardant droit dans les yeux.

CHAPITRE IV

Tuberculose

À l'aube, Mathias et Stanislas se rendirent, comme à leur habitude, à l'église Saint-Jean-Baptiste pour assister le curé Cadoret. Les garçons ne s'étaient pas reparlé des éléments contenus dans la lettre de leur mère, comme si tous les deux attendaient l'instant propice pour pouvoir en discuter sérieusement. Cependant, cela ne les empêchait pas d'y penser chacun de son côté, jusqu'à en devenir lunatiques. Même Stanislas, qui avait pourtant la réputation d'être toujours à ses affaires, commettait en servant la messe des erreurs dignes d'un débutant. Ce qui n'aida pas les jumeaux à gagner le respect de l'assistance. Tout au long de la messe, des gens les dévisagèrent sans cesse, comme s'ils ne leur pardonnaient pas de les avoir abandonnés le jour le plus important de l'année. Une fois les dernières paroles du curé prononcées, Mathias et Stanislas filèrent à la sacristie pour se changer.

— Je suis encore complètement retourné par ce qui nous avons découvert! Pas toi? Nous sommes mi-humains, mi-cétacés! Tu te rends compte, Stan? Le destin d'un peuple entier repose sur nos épaules! Ça me fait sentir tout drôle. Au fond de moi, j'ai toujours su que je ne suis pas tout à fait comme les autres. J'avais de l'intuition.

— Vraiment? Je suppose que c'est pour ça que tu m'as pris pour un idiot lorsque je t'ai parlé de Cétacia, avant que nous découvrions ce testament. Ne viens pas dire que tu as une si bonne intuition que ça, protesta son frère.

— Oh! toi, la ferme! Quoi qu'il en soit, je suis heureux d'avoir appris que j'étais prince. Je me doutais que j'étais voué à un grand avenir! *Fat* n'a qu'à bien se tenir, annonça Mathias, enthousiaste, en se débarrassant de sa soutane.

— Notre mission n'est pas un jeu, Mathias. Le rôle de souverain impose de nombreuses responsabilités.

— Oui, je sais, je sais, mais quand même, je me serais attendu à ce que maman soit n'importe qui sauf une reine et encore moins une baleine.

Le curé Cadoret entra à son tour dans la pièce. Le vieil homme s'approcha d'un air plutôt sévère.

— Je suis vraiment déçu de vous les enfants. Les gens du quartier vous en veulent en ce moment, et avec raison. Je me demande ce qui vous a pris de faire une telle chose. Ça me surprend surtout de toi, Stanislas. Je suppose que c'est ton frère qui t'as empoisonné l'esprit, proféra-t-il en dévisageant Mathias.

— Les habitants nous voient chaque matin à la messe! Ça ne leur suffit pas? contesta Mathias.

— Ce n'est pas vous qu'ils viennent admirer à la Saint-Jean-Baptiste, c'est le personnage que vous personnifiez! Saint Jean Baptiste est non seulement le saint patron des Canadiens français mais également le patron de notre paroisse! Cette fête sert en quelque sorte à lui rendre hommage et vous lui avez manqué de respect, tout autant qu'à son peuple!

— Bon, ça va! On connaît la chanson! Notre père s'est déjà chargé de nous passer un savon hier! L'année prochaine, je règle le problème, je me coupe les cheveux. Adieu les frisettes! J'aurai comme ça un bon motif pour ne pas faire cette parade ennuyante! crâna Mathias.

— Sois poli, mon garçon! Pour dire des âneries pareilles, je vois que la réprimande de ton père n'a pas été très efficace! S'il est trop mou pour te corriger suffisamment, moi je vais le faire! décréta-t-il, en le saisissant pour lui administrer la fessée.

***

— J'espère que tu as eu ta leçon maintenant, garnement! sermonna le curé. Tu peux rester une petite minute, Stanislas? Il faudrait que je te parle, émit-il ensuite sur un ton plus complaisant.

— Oui, bien sûr, monsieur le curé.

— Manquait plus que ça! jeta Mathias. Bon, eh bien, ne traîne pas trop, Stan! N'oublie pas, nous avons du pain sur la planche aujourd'hui! ajouta-t-il avant de prendre la porte, furieux.

Mathias attendait impatiemment son frère sur le perron de l'église, comme il avait coutume de le faire chaque matin. Des passants, le reconnaissant, lui crièrent des insultes, mais le gamin fit la sourde oreille en sifflotant pour bien leur démontrer qu'il était indifférent. Soudain, sur le toit d'une boulangerie à proximité, il aperçut nul autre que Pat O'Donnell s'apprêtant à ramoner une cheminée.

Alors lui, il va voir de quel bois je me chauffe! se promit le blondinet. Il ramassa un gros caillou et le lança de toutes ses forces à Pat, qui avait le dos tourné. Le jeune Irlandais sursauta. Il se retourna et aperçut Mathias. Pat ne put s'empêcher de pouffer de rire.

— Alors, demi-portion, on est jaloux ou quoi? Ces imbéciles de *WASP* n'ont pas été trop durs avec toi, j'espère. Pour une fois, j'ai bien aimé leur règlement bidon, débita-t-il en souriant malicieusement.

— Jaloux de toi? Jamais dans cent ans, *Fat!* appuya-t-il, en lui lançant une nouvelle pierre que le rouquin tenta d'éviter.

— Eh bien! tu devrais, têtard! Tu vois cette main? Elle a serré celle de ton idole adoré! prétendit-il en lui montrant sa main droite. Louis Cyr a même affirmé que si j'avais dix ans de plus, il m'aurait pris dans sa troupe n'importe quand, tant il a été impressionné par mon talent! ajouta-t-il pour narguer son rival.

— Il m'aurait dit la même chose à moi aussi, bouillonna Mathias.

— J'en doute! Mais ce qui est sûr, c'est que c'était un très bon spectacle, surtout vers la fin! Je plains ceux qui n'ont pas pu y assister au complet! Merci beaucoup, têtard! Je te dois tout ça! se moqua Pat avec un rictus, avant de retourner à son travail.

— Ravale tes paroles *Fat,* car un jour tu devras te prosterner devant moi! Tu parles à un futur roi! Ne l'oublie pas, si tu ne veux pas que j'ordonne à une baleine de t'avaler tout rond! Tous les cétacés de la planète m'obéiront, tu entends? Donc, gare à toi lorsque tu tremperas ton gros arrière-train dans la mer! cria-t-il à pleins poumons.

— Mathias, qu'est-ce qui te prend de crier de telles absurdités?! s'inquiéta Stanislas en sortant de l'église.

— C'est à cause du gros *Fat*! C'est lui qui a commencé! s'insurgea-t-il en tentant d'attraper une nouvelle pierre. Stanislas l'en empêcha.

— Je préfère que nous ne parlions de Cétacia à personne pour le moment. Ce n'est pas pour rien que monsieur Melville n'a jamais révélé le fruit de ses découvertes au grand public. Les gens ne sont peut-être pas encore tout à fait prêts à entendre la vérité, chuchota Stanislas, en le regardant sérieusement dans les yeux.

— Même pas à papa?

— Je préfère que non. Comme tu l'as dit toi-même, je doute qu'il soit au courant que maman était une baleine. Ça pourrait peut-être lui faire un trop grand choc. J'aime mieux qu'il continue à s'imaginer qu'elle était une sirène. Après tout, il semble si heureux de le croire. Pourquoi le décevoir?

— C'est d'accord. Je comprends ton raisonnement, mais ça ne m'empêchera pas d'étriper *Fat* de mes mains un de ces jours! affirma le gamin entre ses dents.

Les jumeaux marchèrent nonchalamment vers *Merrimack Street* pour regagner leur appartement.

— Dis, que sont exactement les quatre vertus cardinales et à quoi servent-elles? Je n'ai pas très bien saisi cette partie du message, ajouta Mathias.

— Monsieur le curé m'a tout expliqué. Les vertus cardinales sont en quelque sorte un idéal de la perfection. Quelqu'un de vertueux est quelqu'un qui, par définition, pratique le bien. Elles sont des balises qui permettent à toute personne de mener une vie moralement bonne. C'est ce qui permet à l'être humain de communier à l'amour divin. Comme nous l'a écrit maman, elles sont au nombre de quatre et symbolisent les quatre coins d'un crucifix, expliqua Stanislas.

Il s'arrêta, ramassa une brindille et traça une croix sur le sol terreux. Il prit ensuite les cartes à jouer de Mathias qu'il avait ramassées la veille, puis les déposa sur chacune des extrémités de la croix pour symboliser les vertus, afin que son frère saisisse mieux leur signification.

— Il y a d'abord la force; je l'ai associée au roi. Il s'agit d'une vertu liée à la notion de sacrifice et de courage. Tu sais, la force n'est pas nécessairement une histoire de muscles comme tu as souvent tendance à le croire. Être fort, c'est aussi être capable d'aimer son pire ennemi ou même de vivre avec la mort sur sa conscience. Vient ensuite la justice; je l'ai personnifiée par le valet. C'est une vertu qui consiste à être équitable envers tous ceux qui nous entourent, sans distinction. Puis, la tempérance, que j'ai combinée au joker. C'est la maîtrise de la volonté sur l'instinct. Celui qui est tempérant ne voit pas ses passions l'emporter sur sa raison ou son cœur. Il ne se laisse pas non plus aller à l'avarice, à l'excès ou à la folie comme le ferait justement le joker. Finalement, vient la prudence, considérée comme la reine des vertus. C'est donc pourquoi je l'ai unie à la reine de cœur. Il s'agit ni plus ni moins de la vertu qui régit notre conscience. C'est notre capacité à réfléchir et à juger, à peser le pour et le contre avant d'agir. Sans la prudence, les trois autres vertus ne sont rien. Et nous, dans tout ça, je nous personnifie avec un as noir et un as rouge qui représentent les deux cœurs du Messie, expliqua-t-il en les déposant au centre de la croix.

— Et c'est ça que nous devrons combattre? Je me serais attendu à une mission plus héroïque que ça, dit Mathias, un peu déçu en observant le schéma.

— Malheureusement, j'en ai bien peur…

— Et tu sais comment nous allons nous y prendre?

— Non, mais ce n'est pas encore une priorité. Nous devons d'abord recevoir ce baptême de sang dont maman nous a parlé. Ça sera véritablement le prologue de notre quête ainsi que le symbole de notre appartenance au peuple des cétacés.

À peine avaient-ils grimpé l'escalier de leur appartement qu'ils entendirent leur père tousser à s'en fendre l'âme. D'abord surpris qu'il ne soit pas encore parti travailler, ils entrèrent en trombe à l'intérieur où ils aperçurent Joseph agenouillé sur le sol, en train de cracher du sang. Stanislas s'accroupit près de lui alors que Mathias prit un mouchoir pour essuyer sa bouche et sa barbe tachées de sang.

— Papa! Tu es brûlant de fièvre! s'inquiéta Stanislas en touchant son front.

— Ça va aller, les garçons, je vous ai dit de ne pas vous inquiéter pour moi, murmura-t-il difficilement, le visage plein de sueur. Il recommença à tousser.

— Tu ne vas quand même pas aller travailler dans cet état? demanda Mathias, voyant qu'il avait préparé son baluchon.

— Ça va, je vous le répète! Ce n'est qu'un petit malaise, ça va passer, dit-il, en essayant de se relever alors que les garçons tentaient de l'en empêcher.

— Ne fais pas l'enfant, papa! Ce n'est pas une grippe ordinaire que tu as là! Il faut absolument que tu consultes un médecin! décréta Stanislas.

— Je suis un marin, pas une mauviette! Maintenant les garçons, laissez-moi partir ou je vais me fâcher! Je suis déjà en retard!

— Justement, tu n'es plus un marin aujourd'hui, papa! Laisse ton orgueil de côté! Il faut te soigner! dit Stanislas inquiet, alors que Joseph, entêté, les ignorait et prenait son baluchon. Mathias bloqua la porte pour l'empêcher de quitter la pièce.

— Mathias, tu as deux secondes pour t'enlever de là ou tu auras une fessée comme tu n'en as jamais reçu!

— Si c'est le prix à payer, alors vas-y! Je ne m'enlèverai pas de là tant que tu ne te seras pas résigné à consulter un médecin!

Sur ces mots, Joseph toussa de nouveau à s'époumoner. Il resta au sol, puis vomit du sang. Stanislas se rapprocha de lui et lui caressa le dos, mais Joseph le repoussa, prêt à se relever pour franchir la porte. Il fit quelques pas titubants, avant de perdre connaissance en s'effondrant lourdement sur le plancher.

— Papa! crièrent les jumeaux à l'unisson.

Ils ne savaient aucunement ce qu'avait bien pu attraper leur père pour être devenu aussi faible et fiévreux.

— Vite, Stan, viens m'aider, il faut l'amener à l'hospice, chez les religieuses! Elles sauront sans doute quoi faire! Prends-le par les chevilles, commanda Mathias à son frère, alors qu'il tentait de lever son père en le soutenant par les aisselles.

Les jumeaux transportèrent Joseph avec grande difficulté vers l'hospice dirigé par les sœurs de la Charité de la Providence de Montréal. Personne ne vint les aider, bien qu'il était évident qu'ils transportaient quelqu'un de mal en point. Le coup de main d'un adulte n'aurait sans doute pas été de refus. Les passants, habitués à de telles scènes, n'étaient plus touchés.

— S'il vous plaît! Aidez-nous! Notre père est très malade! cria Mathias en détresse dans le hall du couvent.

Deux religieuses vêtues de blanc et coiffées de larges cornettes accoururent. Elles aidèrent les garçons à transporter Joseph sur un lit. Les religieuses tirèrent un rideau blanc pour l'isoler, puis demandèrent aux jumeaux de les laisser seules un instant avec lui. Malgré l'éclairage adéquat des lieux, les enfants trouvaient l'ambiance plutôt lugubre. Ils entendaient des gens se plaindre, des pleurs ainsi que des cris d'horreur qui glaçaient leur sang. Ils aperçurent des hommes qui venaient juste d'être amputés d'un bras ou d'une jambe, alors que d'autres étaient recouverts de bandages comme des momies. Un prêtre donnait même les derniers sacrements à une patiente irrécupérable. Stanislas remarqua sur les murs des peintures représentant diverses scènes bibliques. Il les observa tour à tour pour tuer ce temps d'attente qui lui semblait interminable. Son regard s'arrêta sur celle représentant l'épisode de Noé et du Déluge.

Monsieur Melville disait donc vrai lorsqu'il écrivait que le conflit entre les cétacés et les hommes se retrouvait aujourd'hui caché dans plusieurs de nos mythes… pensa-t-il, faisant le lien entre les deux histoires. Il comprit également pourquoi Goliath était représenté par un géant lorsqu'il regarda l'illustration du combat entre David et Goliath.

Après un bon quart d'heure, ils entendirent le rideau glisser et virent réapparaître les deux religieuses, stéthoscope au cou et masque au visage. Les frères s'apprêtèrent à accourir au chevet de leur père, mais les deux femmes les en empêchèrent.

— Votre père est très contagieux! Il vaut mieux éviter tout contact avec lui, affirma l'une des deux religieuses.

— Qu'est-ce qu'il a? demanda Mathias, inquiet.

— Votre père travaille sans doute dans une filature comme la plupart des habitants du quartier, j'imagine?

— Oui, c'est bien ça! Mais quel est le rapport avec sa santé?

— À cause des particules de coton qui circulent dans l'air à ces endroits, les ouvriers s'exposent au risque d'attraper la phtisie cotonneuse, une forme de tuberculose, si vous préférez. Votre père n'est pas la première victime de ce terrible fléau qui touche d'année en année de plus en plus de travailleurs du quartier. Je suis vraiment navrée…

Cette nouvelle explosa comme une bombe dans le cœur des jumeaux. Ils connaissaient la gravité de la tuberculose puisque, lorsqu'ils étaient tout-petits, cette maladie virulente avait emporté un de leurs voisins qu'ils aimaient bien. Ils avaient vraiment peur que leur père subisse le même sort.

— Soyez honnête, ma sœur, est-ce que notre père a une chance de s'en sortir ? demanda Stanislas, les mains tremblantes.

— La tuberculose est une infection qui atteint directement les poumons. Je ne vous mentirai pas en vous disant que son état est très avancé, voire critique. Statistiquement parlant, il y a plus de gens qui décèdent de cette maladie que de gens qui en guérissent. Ça ne m'est malheureusement jamais arrivé de voir un survivant, mais ça ne veut pas dire que ça n'existe pas. Si votre père est fort et déterminé, je suis persuadée qu'il survivra. Il n'y a que le temps qui pourra nous le confirmer. Tout ce que vous pouvez faire jusque-là, c'est de prier pour lui, affirma-t-elle en essayant de prendre un air rassurant, alors que les garçons ne purent s'empêcher de laisser silencieusement couler quelques larmes.

— Il pourra quand même vivre avec nous, n'est-ce pas ? demanda Mathias.

— Oui, mais vous risqueriez de le condamner. Il est préférable qu'il reste ici sous observation. Ainsi, il aura tous les soins qu'il lui faut, en plus de diminuer les risques de contagion au sein du quartier. Seulement, l'hospice vit de la charité de la providence et nous ne possédons que 90 lits. Nous ne pouvons malheureusement garder que ceux qui ont les moyens de nous payer une pension. En êtes-vous capable ? s'enquit la religieuse un peu gênée de devoir parler d'argent dans un moment aussi émotionnel.

— Nous sommes beaucoup trop pauvres pour ça ! Nous ne gagnons que cinq cents par jour en servant la messe, se dépêcha d'affirmer Mathias.

— Attendez, moi je crois que j'en ai les moyens…

À la surprise de Mathias, Stanislas sortit une imposante poignée de cents et de billets qu'il remit dans le creux de la main de la religieuse.

— Il devrait y avoir 23 dollars en tout, ça sera suffisant, ma sœur? demanda-t-il.

— Oui, bien sûr, c'est plus que le nécessaire, mon garçon… dit-t-elle, impressionnée par tout cet argent venant d'un enfant.

— Alors, je vous conjure de lui donner les meilleurs traitements possibles, s'il vous plaît, supplia-t-il.

— Je ne veux pas rester cloué dans ce lit! Je ne veux pas être un fardeau pour mes fils! Je dois aller travailler! cria Joseph, qui venait de toute évidence de se réveiller. Voyant qu'il s'apprêtait à se lever, les religieuses furent contraintes de l'attacher à son lit pour le maîtriser.

— Papa… Je suis désolé. C'est pour ton bien qu'elles font ça, articula Stanislas avec peine.

— Mes garçons. Je vous en prie, ne me laissez pas ici. Je dois vous faire vivre… Qu'allez-vous faire? exhala Joseph, le cœur brisé, de derrière le rideau.

— Ne t'inquiète pas pour ça, papa, nous allons nous débrouiller. Occupe-toi plutôt de ta santé, affirma Stanislas.

— Plus vite tu regagneras des forces, plus vite tu pourras revenir vivre avec nous. Je promets même d'apprendre à jouer de l'harmonica. Tu verras, je deviendrai aussi bon que toi et je viendrai te jouer quelques morceaux.

— Merci, mes enfants. Vous êtes si courageux, souffla Joseph.

— Toi aussi tu l'es! Ne laisse pas cette maladie t'abattre! répondit Mathias.

— À bientôt, papa, repose-toi bien, dirent-ils simultanément d'un ton mélancolique. Ils auraient tant aimé pouvoir l'embrasser en guise d'au revoir, mais ils durent s'en abstenir.

Afin de limiter les risques de contagion, les religieuses insis-tèrent pour que le rideau demeure fermé.

— J'ai eu la chance d'avoir de si bons enfants… Merci ma bien-aimée sirène de m'avoir légué ce cadeau inestimable à moi, qui ne suis qu'un raté. Il me sera au moins arrivé ça de bon dans ma vie, murmura l'homme tandis que les garçons quittaient l'hospice, la tête basse et le cœur lourd.

— C'est à cause de moi, Stan. Tout ce qui arrive, je suis sûr que c'est de ma faute, dit Mathias en baissant honteusement sa casquette pour cacher ses yeux humides.

— Pourquoi dis-tu ça?

— Saint Jean Baptiste a sûrement voulu me punir. Si j'avais joué son rôle à la parade comme il se devait, je suis sûr que rien de tout cela ne serait arrivé. Hier soir, je ne pensais pas du tout ce que je disais, Stan! J'aime papa, je ne veux pas qu'il meure! se désola Mathias.

— Allons, tu n'y es pour rien. Ne t'en mets pas autant sur les épaules. Je suis persuadé que papa vaincra la tuberculose. C'est un marin, il ne faut pas l'oublier! Il a une santé de fer, affirma Stanislas, alors que son frère ne semblait pas vraiment convaincu.

— Au fait, où as-tu donc pris tout cet argent? Je ne te sa-vais pas aussi riche, s'exclama Mathias tout en continuant de renifler.

— Ce sont des économies que j'accumule depuis que nous servons la messe. Pendant que toi tu dépensais à mesure pour t'acheter des friandises ou des jouets, moi je me faisais une réserve. À dire vrai, j'avais espoir d'en avoir un jour suffisam-ment pour racheter *La Sirène Bleue*. Cela vous aurait rendus si heureux, papa et toi, dit-il, attristé, en sachant très bien qu'il devait recommencer à zéro son laborieux projet.

— Vraiment? Tu n'as donc jamais profité de l'argent que tu gagnais? Je ne m'en étais jamais rendu compte, je suis vraiment désolé. Si j'avais su, j'aurais partagé, dit Mathias, touché par la générosité secrète de son frère. Il avait des remords en pensant à toutes les fois où il avait refusé égoïstement de lui prêter des jouets ou encore lorsqu'il mangeait des gâteries sous son nez.

Lorsqu'ils arrivèrent à leur logement, ils eurent la surprise d'apercevoir des étrangers qui s'y étaient invités…

— Qui êtes-vous? Que faites-vous chez nous? Vous n'êtes pas un peu effrontés de vous inviter comme ça? asséna Mathias aux deux hommes arborant de longues moustaches. Ceux-ci s'étaient incrustés dans leur salle à manger sans aucune gêne.

— Pour ton information, petit, ce n'est pas chez toi, c'est chez moi. Je suis George Smith, le propriétaire de cette maison ouvrière, et voici mon comptable, monsieur Wilson. Nous aimerions parler à votre père, monsieur Joseph Demers, demanda l'homme d'un air sérieux, alors que le comptable sortait un calepin de sa poche.

— Il est présentement en convalescence pour une période indéterminée. Que lui voulez-vous?

— J'imagine que cela veut dire qu'il ne rapportera pas de salaire jusque-là? L'imbécile! Je suis sûr qu'il a fait exprès pour échapper à sa dette! éructa l'homme en jetant violemment une chaise sur le sol.

— Monsieur Smith, parlez sur un autre ton, s'il vous plaît! Il y a sûrement un malentendu. Vous croyez qu'il aurait fait exprès pour attraper la tuberculose? dit Stanislas, offusqué qu'on parle en mal de son père.

— Je sais que ça peut paraître ridicule, mais vous, les Canadiens français, êtes si malhonnêtes. Vous ne savez pas quoi inventer pour tenter de me berner afin de débourser le moins possible pour votre loyer! Je crois que j'ai été assez patient avec votre père! cria monsieur Smith, furieux.

— Au fait, de quelle dette parlez-vous? Notre père ne nous en a jamais glissé mot, demanda tout innocemment Mathias.

— Quelle dette… Quelle dette… Ne me faites pas rire! J'aurais dû dire ses dettes! Depuis cinq ans qu'elles traînent et je peux vous dire qu'elles sont énormes! Demandez à mon comptable!

— En effet, d'après mes calculs, monsieur Demers doit à monsieur Smith plus de 200 dollars pour des loyers non payés. Ajoutez ensuite les paiements pour les frais mensuels de nettoyage de la cheminée ainsi que le bois pour le chauffage d'hiver, vous arrivez facilement à un total de 405 dollars et je n'ai pas encore calculé les taxes et les intérêts! souligna monsieur Wilson en écrivant les calculs sur son calepin.

— Vous voyez? J'étais venu ici pour lui donner un ultimatum avant de vous mettre à la porte, mais je vois bien que je n'aurai pas mon dû avant encore longtemps. Je dois donc passer aux grands moyens et saisir tous vos biens personnels. Dans la soirée, mes hommes viendront s'en occuper, annonça-t-il sans aucune empathie.

— Comment? Mais c'est à nous! Vous n'avez pas le droit! dit Mathias, enragé, prêt à sauter sur l'homme. Stanislas dut le retenir par la taille.

— Comme si j'allais me gêner! Votre père n'avait qu'à payer ses dettes! Vous préférez qu'il aille en prison, peut-être? La loi n'a aucune pitié pour les fraudeurs, même quand ils sont malades! Je me trouve assez indulgent de ne pas faire appel à la police!

— Pourriture… murmura Mathias entre ses dents.

— Ah oui! J'oubliais. J'ai loué votre logement à une autre famille de *Frogs* sales comme vous. Ils devraient arriver demain matin. Ils sont censés être quinze! Vous vous reproduisez vraiment comme de la vermine! C'est dégoûtant!

— Mais où allons-nous dormir, alors? demanda Stanislas, un peu paniqué.

— Ce n'est pas mon problème, ça! Mais bon, je me sens généreux aujourd'hui et je veux bien vous faire une faveur. Je vais vous laisser vivre dans le hangar situé derrière la bâtisse.

Il me sert de débarras. Vous pouvez y rester le temps que votre père se rétablisse, à la condition que vous me payiez la moitié du prix d'un loyer ordinaire. C'est à prendre ou à laisser! offrit l'homme en mettant son chapeau.

— C'est d'accord. Nous acceptons votre offre, dit à contre-cœur Stanislas, alors que Mathias avait vraiment l'air d'un chien enragé prêt à mordre l'homme à tout moment.

— Bien! À ce soir, les garçons, dit-il hautainement en quittant le logement, suivi de monsieur Wilson.

Mathias et Stanislas s'assirent sur leur lit, épuisés et désespérés. C'était comme si tous les drames imaginables leur tombaient sur la tête en même temps. Ce nouvel épisode ne fit que renforcer l'idée de Mathias qu'on l'avait maudit.

— Tu me crois, maintenant, quand je te dis qu'on veut me punir? Ne me dis pas le contraire après tout ce qui nous arrive… dit le garçon en soupirant.

— Ce sont des sottises, Mathias.

— Tu savais, toi, que papa avait des dettes?

— Pas du tout. Il n'en a jamais fait mention. Il ne voulait sans doute pas nous inquiéter.

— Malgré ses dettes, il s'est toujours assuré que nous ne manquions de rien. Papa est vraiment un homme bon et géné-reux. Dire qu'il a toujours gardé pour lui ses soucis financiers afin de nous protéger… Pourquoi n'ai-je jamais rien vu de tout ça? Avoir su, je l'aurais aidé, regretta Mathias.

— Parce que tu étais heureux… Voilà tout…

— Tu sais quoi? Je vais aller me faire embaucher à la fabrique où travaillait papa. En son absence, il faut absolument que quelqu'un rapporte un salaire. En l'occurrence, ce sera moi! dit Mathias déterminé, en se levant du lit.

— J'y vais avec toi! J'en ai assez d'être inutile! Comme ça, nous ferons deux fois plus d'argent.

— Ah non! il n'en est pas question! Je suis l'aîné, c'est donc ma responsabilité et mon devoir! Pendant que je travaille, toi, je veux que tu ailles à l'école!

— Mais… Mais…

— Il n'y a pas de mais! Je sais que tu en as toujours eu envie, mais que tu t'en es toujours privé à cause de moi qui ne pouvais pas y aller, parce que je suis trop imbécile. Stan, quand vas-tu te rendre compte que je ne suis qu'un idiot irrécupérable? C'est toi le cerveau de nous deux et je suis persuadé qu'un grand avenir t'attend! Tu n'as pas déjà oublié que c'est toi le cœur rempli de sagesse? Tu es le plus intelligent! Si tu ne vas pas à l'école, tu vas gaspiller ton talent. Tu rêves d'aller à Harvard, n'est-ce pas? Alors, tu iras!

— Mathias… chuchota Stanislas, ému, mais conservant tout de même un soupçon de réticence, sachant fort bien que pour le moment mieux valait rapporter le pain que d'étudier.

— Donc, c'est entendu! Dès demain, allons rendre notre tablier au vieux Cadoret, t'inscrire à la petite école de la paroisse et essayer de me dénicher un boulot! Une toute nouvelle vie nous attend! Crachons-nous dans les mains et fonçons droit vers elle! Prouvons à papa que nous ne sommes plus les gamins pleurnichards et gâtés qu'il a connus! clama-t-il avec un ton héroïque, en tapant dans la main de son frère.

CHAPITRE V
L'ouvrier et l'écolier

De pied ferme, ils attendirent monsieur Smith. Mathias se dépêcha de cacher dans les poches de son veston l'harmonica de son père et leurs photos souvenirs, avant l'arrivée du propriétaire pour qu'il n'ait pas l'idée de les leur enlever. Stanislas, de son côté, dissimula le précieux journal de bord d'Herman Melville sous sa chemise. En fin d'après-midi, monsieur Smith arriva avec ses hommes de main pour transporter la totalité du mobilier des Demers.

— Tenez! Je vous laisse votre courtepointe. Vous allez comprendre pourquoi lorsque vous emménagerez dans votre nouvelle demeure. J'attends votre premier paiement d'ici quatorze jours ou je verrai personnellement à vous escorter jusqu'à la porte, à coups de pied au derrière! Et n'oubliez pas, vous me devez la moitié du prix d'un loyer mensuel plus ce qu'il reste à rembourser sur la dette de votre père, exigea-t-il fermement.

— Quoi? Mais vous n'avez jamais rien dit au sujet de la dette de papa! Vous avez saisi nos meubles justement à cause de ça! hurla Mathias.

— Tu crois vraiment que votre misérable mobilier d'occasion était suffisant pour me rembourser? Ne me fais pas rire! J'ai à peine de quoi acquitter le quart de sa dette. Soudainement alerté, il ajouta: Hé! ce n'est pas de l'argent, ça? Tu pourrais en profiter pour me verser une petite avance.

Monsieur Smith confondait avec des billets de banque les photos qui dépassaient des poches de Mathias. Le gamin se retourna pour l'empêcher d'y toucher, mais le propriétaire l'empoigna solidement. Il saisit les photos, mais déchanta :

— Que des vulgaires photographies ! Comme si vous aviez besoin de ça. Concentrez-vous sur l'argent que vous me devez plutôt que sur ces conneries, martela-t-il en les déchirant en petits morceaux sous les yeux horrifiés des jumeaux.

En un clin d'œil, les seules preuves de leur vécu au Canada venaient de s'envoler pour toujours. Les jumeaux avaient l'impression d'avoir perdu une partie de leur enfance. Ils ne verraient jamais plus leur maison de pêcheur, leur village, le Saint-Laurent ou le rocher Percé… Tous ces lieux vivants ne seraient maintenant que de simples parcelles de souvenirs qui s'estomperaient petit à petit de leur mémoire à mesure que les années s'écouleraient.

— *La Sirène Bleue…* déplora Stanislas en ramassant un morceau de la photographie qui ne montrait maintenant que partiellement la coque de leur précieux bateau.

Marmonnant sa frustration, Mathias aida son frère à rassembler les morceaux éparpillés dans la pièce.

— Une dernière chose ; je vous conseille de garder vos souliers pendant votre sommeil, question de ne pas vous faire manger les orteils par quelque bestiole indésirable. Sur ce, je vous souhaite de passer une très bonne nuit dans votre somptueux palais, mes princes. Je repasserai dans deux semaines pour recevoir mon dû, ajouta-t-il d'un ton méprisant en leur faisant la révérence.

Peu après, Mathias et Stanislas se rendirent dans la cour arrière pour gagner le hangar qui, jusque-là, servait de débarras. Les garçons durent s'accroupir pour entrer. L'endroit était si sombre qu'ils allumèrent une chandelle pour déjouer les ténèbres. Le hangar était bondé de bois de chauffage et de vieux matelas bourrés de punaises et de mites. Des cafards et des rats circulaient sur le sol de terre battue, alors qu'une odeur de bois mouillé et de moisissure hantait les lieux. Les nombreux trous qui parsemaient le plafond présageaient des inondations que les nouveaux locataires auraient à subir lors des jours pluvieux. De vieux clous rouillés dépassaient des murs de planches de bois qui, vu leur état, se complairaient à accueillir les moindres rafales. Ils osaient à peine imaginer à quoi ressemblerait l'hiver, dans ces conditions, car il n'y avait pas de poêle.

— Ne t'inquiète surtout pas, Mathias ; dis-toi que cette situation n'est que temporaire. Dès que papa ira mieux, tu verras, nous déménagerons ailleurs… Nous l'aurons bientôt, notre royaume, dit Stanislas pour encourager son frère qui semblait, malgré tout, le plus affecté par les événements.

Stanislas se colla contre son frère pour le réchauffer, tout en s'imaginant qu'ils devaient être placés ainsi dans le ventre de leur mère, ce seul endroit qui les protégeait de cette réalité crue qu'ils devaient maintenant affronter seuls, sans armure ni bouclier.

***

Parce qu'ils avaient très mal dormi, Mathias n'eut pas le courage, à l'aube, de réveiller son frère qui avait enfin réussi à s'endormir profondément. Il le borda et décida d'effectuer seul ce qu'ils avaient planifié de faire ensemble. Il se dirigea d'abord au presbytère de l'église Saint-Jean-Baptiste pour aviser le curé Cadoret de leur décision de démissionner. Celui-ci fut surpris mais ravi d'apprendre que Mathias avait convaincu son frère d'aller à l'école. Il demanda au garçon de dire à Stanislas qu'il serait toujours le bienvenu à l'église. Invitation qu'il ne fit pas à Mathias, très satisfait de ne plus l'avoir dans les pattes. Le garçon n'avait pas aimé entendre, lors de cette petite entrevue, le curé Cadoret affirmer avec conviction qu'il s'agissait de la faute de leur père si la maladie l'avait frappé et qu'il ne devait en vouloir qu'à lui-même. Selon lui, Dieu voulait le punir de ne pas avoir été aussi pieux que les autres habitants du quartier. Il est vrai qu'en cinq ans, Joseph n'avait jamais assisté à une messe et même pas à celle de Noël. Il n'était pas étonnant que tout le quartier le regarde sans cesse d'un œil suspicieux. Son seul acte religieux était d'assister à la Saint-Jean-Baptiste, mais il s'y rendait pour admirer ses fils et non pour la fête. Le curé en profita pour traiter le père de raté et d'irresponsable. Il le blâmait, pour ne s'être jamais marié, de vivre continuellement dans le péché. Il n'en fallut pas plus à Mathias pour l'agonir de bêtises, avant de prendre la porte pour de bon.

Mathias se sentit aussitôt le cœur libre et apaisé. Il ne devrait désormais plus rien à cet homme qu'il méprisait autant que le propriétaire de leur logement. Sans plus attendre, il fila à la petite école de la paroisse où une jeune religieuse, sœur Marie-Madeleine, l'institutrice, fut plutôt ravie qu'un nouvel élève se joigne à sa classe. En commettant l'erreur de se faire passer pour Stanislas, il fut embarrassé de répondre à un questionnaire pour savoir à quel niveau de scolarité il serait classé. S'étant aperçu que le gamin ne savait pas lire et qu'il avait une culture générale plutôt limitée, la religieuse décida que Stanislas allait être en première année. Elle l'attendrait dès le lendemain matin. Elle lui remit en cadeau une ardoise et une craie toute neuve.

Il se rendit ensuite à *Boott Cotton Mills,* l'industrie textile où son père travaillait, située sur les rives de la *Merrimack River* dont on tirait l'énergie hydraulique pour faire fonctionner la machinerie. Cette fabrique s'occupait de la transformation du coton, du filage jusqu'au tissage. Il s'agissait de la plus grosse fabrique de Lowell, reconnue dans tous les États-Unis pour produire des tissus de coton d'une très grande qualité. Elle avait près de deux mille employés à son service. Ses longues cheminées crachant de la fumée grise et ses façades d'un brun rouille terne lui donnaient une apparence sévère. Au grand étonnement de Mathias, il fut engagé sans avoir à subir d'entrevue. On lui annonça qu'il commencerait son tout premier quart de travail l'après-midi même. Étant Canadien français, l'employeur savait qu'il ferait une affaire d'or en l'embauchant : puisqu'il était mineur, son salaire n'atteindrait que la moitié de celui d'un adulte. Ignorant complètement la dureté du travail qui l'attendait, fou de joie, il alla annoncer la nouvelle à son père.

— Comment ? Tu as été embauché à *Boott Cotton Mills* ? Je t'en prie, mon petit Mathias, ne fais pas ça ! Il y a sans doute une autre solution ! objecta Joseph entre deux toux, derrière le rideau qui le séparait de son fils.

— Tu sais que nous avons besoin d'argent ! Il faut que quelqu'un te remplace afin de rembourser nos dettes !

— Mon Dieu, vous êtes donc au courant de cette histoire ? s'inquiéta-t-il, plutôt triste et mal à l'aise.

— Oui. Le propriétaire est venu saisir tous nos meubles, hier. Mais ne t'inquiète pas. Je vais réussir à récupérer le tout, d'ici à ce que tu guérisses. Je te le promets ! De toute façon, papa, il est temps que je devienne adulte. Tu disais toi-même que j'étais trop gâté et paresseux ! Cela devait arriver un jour ou l'autre, que j'obtienne un emploi. Et puis il faut nous racheter. J'ai réfléchi à ça cette nuit. C'est notre faute si tu as dû vendre *La Sirène Bleue* et emménager dans cet endroit pourri, pas la tienne.

— Je t'interdis de dire une telle chose ! Vous n'y êtes pour rien.

— Mais si, réfléchis ! Si tu ne nous avais pas eus, tu n'aurais pas eu besoin d'autant d'argent pour nous faire vivre et tu aurais pu continuer à pratiquer le métier de pêcheur qui te tenait tant à cœur ! allégua le gamin.

— Mathias… C'est faux… J'aurais vendu mon âme au Diable pour vous. Vous m'êtes beaucoup plus précieux qu'un simple bateau ! C'est pour ça que je ne veux pas que tu travailles ! Tu n'es pas conscient de la lourdeur de cette tâche ni des horreurs que tu devras côtoyer. L'océan qui valse dans tes yeux va se figer à tout jamais! Tu vas ressembler à tous ces enfants dont les parents ne s'embarrassent pas de tuer leurs jeunes âmes, en les envoyant travailler. C'est le devoir d'un père de protéger son fils! Comment peux-tu aspirer à devenir un adulte accompli si tu brises ton enfance? argumenta-t-il alors que Mathias resta un moment silencieux.

— Je suis désolé, papa, mais tu dois me laisser devenir un homme. Je t'en prie. Tu as été trop bon à mon égard. Il y a long-temps déjà que j'aurais dû voler de mes propres ailes. Je n'ai pas été un bon garçon… Tu avais raison, j'agissais en véritable égoïste qui ne faisait que profiter de l'oisiveté que tu m'offrais. Il est temps que je me rattrape. Déteste-moi pour ça si tu veux ou punis-moi comme tu le désires, mais je dois le faire. Adieu, papa. Merci pour tout. Merci d'avoir essayé de protéger mon enfance pendant toutes ces années. Je suis sûr que je t'en serai sincèrement reconnaissant plus tard, dit-il en quittant en trombe l'endroit sans regarder derrière lui, les larmes roulant sur ses joues. Il savait qu'il n'aurait plus le courage de lui rendre visite. Il avait beaucoup trop peur d'être tenté de retourner à sa vie d'antan, si douce et insouciante.

— Mathias! Mathias! Reviens! Ne fais pas ça! Tu vas être malheureux et tu le regretteras quand tu auras mon âge! Ne tue pas ton enfance, tu n'es pas prêt! Mathias! cria l'homme, la gorge sèche, mais le garçon claquait déjà la porte. J'aurais dû m'en douter. Tu as un cœur de marin, toi aussi. Tu es aussi entêté que ton père. Dans ce cas, il ne me reste qu'à te léguer le peu de courage qu'il me reste… murmura Joseph, attendri.

***

Mathias effectua ses premières journées de labeur et Stanislas, pour sa part, intégra la classe de sœur Marie-Madeleine, qui lui offrit un accueil chaleureux. L'âge de ses 33 camarades de classe s'échelonnait de 6 à 15 ans. Les enfants n'étaient pas tous au même niveau de scolarité. Il était courant de voir un enfant de huit ans en devancer un autre âgé de quatorze ans. Très peu d'élèves terminaient leurs études. La plupart quittaient l'école bien avant, préférant travailler avec leurs parents pour rapporter un salaire à la maison. Les pupitres étaient disposés dans la classe en rangs d'oignons, deux par deux.

On avait assis Stanislas à côté de Violette Larocque, douze ans, fille du propriétaire de l'Épicerie Larocque et considérée, en quelque sorte, comme la meneuse du groupe. Cela n'était sans doute pas étranger au fait qu'elle appartenait à une famille un peu plus aisée que la plupart des autres du quartier, puisque ses parents n'étaient pas des ouvriers. Même si la fillette affichait une attitude hautaine et un caractère plutôt égocentrique, elle inspirait le respect autour d'elle et personne ne voulait la décevoir. Tous les écoliers souhaitaient obtenir son amitié et faire partie de sa clique. Les garçons plus âgés, quant à eux, se lançaient sans cesse des défis visant à conquérir la belle enfant. Avec ses yeux émeraude et sa longue chevelure de blé, elle pouvait faire fondre le cœur de n'importe quel garçon. Elle portait toujours, pour tenir ses cheveux en place, un magnifique nœud violet, si large qu'on aurait dit des oreilles de chat. Ses robes étaient toujours joliment ornées. Selon la rumeur qui courait dans la classe, elle ne portait jamais plus de trois fois la même robe.

Violette avait le pouvoir de décider qui seraient les boucs émissaires de la classe tout autant que de déterminer ceux qui seraient les favoris du groupe. Par chance, Stanislas lui avait tapé dans l'œil. C'est même elle qui avait proposé à l'institutrice de l'asseoir à côté d'elle, repoussant son ancien voisin sans même lui demander son avis. Stanislas était intimidé d'être entouré par autant d'enfants aussi curieux d'en savoir plus sur lui. Ils le reconnaissaient pour son interprétation de saint Jean Baptiste à la parade, ce qui fit redoubler sa popularité au sein du groupe. Il réalisa alors, pour la première fois, que ses seuls amis à ce jour, hormis son frère, étaient les livres qu'il empruntait à la bibliothèque. Il dut s'avouer que cet isolement l'avait rendu maladroit et timide auprès des autres. Violette ne cessait de lui faire la conversation alors que Stanislas se contentait d'écouter poliment, sans rien dire. De toute façon, il n'avait rien d'autre à faire puisqu'il avait déjà terminé en un clin d'œil tous ses travaux pour les trois prochaines semaines. Il était surqualifié pour ce niveau, mais il préféra ne pas en parler de peur d'avoir des ennuis. Il ne savait pas encore qu'il avait été classé en première année à cause des résultats médiocres qu'avait obtenus Mathias.

Je ne me sens vraiment pas à ma place ici… Tout ce que sœur Marie-Madeleine nous enseigne, je le sais déjà… En vingt jours, je n'ai rien appris de nouveau. Même lorsqu'elle explique des choses aux élèves de septième année, je comprends tout… Pourquoi les autres élèves semblent-ils avoir autant de difficultés ? Tout est pourtant si simple, concluait-t-il, ne sachant pas trop quoi faire.

— Rosine Rivard ! Combien de fois vous ai-je dit de ne pas écrire de la main gauche ! C'est mal ! cria sœur Marie-Madeleine en donnant un coup de règle sur les doigts de la fillette.

— Pardon, ma sœur ! Je ne le ferai plus, promit la jeune fille, piteuse, en frottant ses doigts, alors que les autres élèves ricanaient.

— C'est ce que vous me dites chaque année, et pourtant vous continuez d'user de cette mauvaise habitude ! Si ça continue, je devrai en glisser un mot à votre père !

—Oh non ! s'il vous plaît, ma sœur… Si vous faites cela, il va me punir !

— Je devrai lui en parler tôt ou tard. Vos résultats sont lamentables. Vous ne connaissez même pas encore votre orthographe, vous avez de la difficulté en lecture et vous ne savez pas vos tables de multiplication et encore moins celles des divisions !

— Mais je m'améliore, je fais beaucoup d'efforts...

— Je n'ai pas vu d'évolution, ce n'est donc pas le cas! Vous avez 12 ans et c'est la troisième fois que vous reprenez votre troisième année! À votre place, je serais honteuse! la moralisa-t-elle alors que les autres élèves continuaient de s'en moquer.

Sœur Marie-Madeleine savait être douce et complaisante avec les plus performants, mais manifestait une froideur tenace et une grande sévérité envers ceux qui avaient de la difficulté à apprendre.

— Dites-moi, mademoiselle Rivard, combien donnent quatre divisés par deux? interrogea Sœur Marie-Madeleine en croisant les bras.

— Je... Je... Je ne sais pas... avoua Rosine en baissant honteusement la tête. Les jeunes autour d'elle murmuraient à quel point elle était idiote d'être incapable de répondre à une question aussi facile.

— Huit moins cinq, alors? poussa la religieuse.

— Trois! Ça fait trois! chuchota Stanislas pour aider Rosine, mais Violette lui donna un coup de coude pour qu'il se taise.

— Je ne le sais pas non plus... répondit la jeune fille, au bord des larmes.

— Alors, étudiez, si vous ne voulez pas avoir l'air aussi ignare devant vos camarades! asséna la religieuse, en la gratifiant d'une claque derrière la tête.

Hormis Stanislas, toute la classe parlait dans son dos et lui souriait méchamment. Rosine était d'ailleurs l'une des victimes préférées de Violette. Du coup, tous les autres écoliers en avaient également fait leur tête de Turc et passaient leur temps à la ridiculiser. La jeune fille portait jadis de magnifiques tresses châtaines, mais un camarade malintentionné les avait coupées. Depuis, elle arborait une affreuse coiffure échevelée inégalement. Sans compter qu'on avait déjà dissimulé un rat mort à l'intérieur de son pupitre, une araignée dans son col, des clous dans ses bottes. On avait aussi renversé intentionnellement son pot d'encre sur sa robe et on lui lançait régulièrement des craies derrière la tête. Stanislas avait remarqué que personne ne lui parlait à l'heure du repas de midi ni même pendant la récréation. Lorsque les enfants s'amusaient au ballon à l'extérieur, personne ne voulait la prendre dans son équipe. On se moquait également de son physique à cause de ses incisives plus longues que la moyenne, ce qui lui avait valu le surnom de « Rosine la lapine » chez les plus jeunes.

Après la classe, Stanislas l'aperçut, appuyée contre un arbre, l'air plutôt déprimée. Il décida de prendre son courage à deux mains et de lui adresser la parole :

— Bonjour !

— Bonjour… se contenta de répondre Rosine, avec un regard méfiant.

— Ce n'est pas gentil ce qu'a fait sœur Marie-Madeleine tout à l'heure. C'est injuste qu'elle t'ait humiliée de la sorte. J'étais triste pour toi, tu sais.

— Ne me fais pas rire ! Tu es dans la bande à Violette. Depuis que tu es arrivé, vous êtes toujours ensemble ! D'ailleurs, ça ne m'étonnerait pas que tu me tendes un piège pour pouvoir me ridiculiser ! Je ne fais confiance à personne ici.

— Non, du tout. Je n'approuve pas ce que font Violette et les autres. D'ailleurs, j'étais venu te proposer mon aide pour tes devoirs. Je peux te donner un coup de main.

— Vraiment ?

— Bien sûr ! Mon frère ne revient du travail qu'aux alentours de 18 heures. Je pourrais passer chez toi après les cours, si tu le désires.

— Non, pas chez moi… Ce n'est pas une bonne idée, je pourrais avoir des ennuis, dit-elle, en serrant nerveusement le tissu de sa robe.

— Pourquoi ? demanda Stanislas, surpris. Rosine n'eut que le temps d'apercevoir Violette qui, furieuse, saisit Stanislas par l'épaule.

— Stanislas! Enfin, te voilà, mon chéri! Je te cherchais partout! Alors, tu viens? Tu m'avais promis de m'aider à faire mon travail de géographie! Tu n'as pas oublié, j'espère! Je t'ai fait des gâteaux, hier soir, je suis sûre que tu vas les adorer, ajouta la fillette, en l'entraînant avec elle.

Je le savais. C'est toujours comme ça! Il ne fallait pas te faire d'illusions, ma vieille. Tu n'as pas d'amis ici, remâcha Rosine, en les regardant s'éloigner.

Violette lui tenait fermement le bras en l'entraînant:

— Je t'interdis de parler avec Rosine! se hâta-t-elle de préciser d'un ton coléreux.

— Pourquoi? Elle n'est pas méchante, pourtant.

— Non, mais elle est bête. C'est la honte de s'en approcher!

— Je n'approuve pas vraiment cela, Violette. Tu aurais aimé que ce soit toi que l'on traite ainsi?

— Non, mais ça ne me serait jamais arrivé: je ne suis pas aussi sotte qu'elle! Tu es trop bien pour elle, minauda-t-elle. Stanislas préféra ne rien ajouter. Elle tenta de lui prendre tendrement la main, mais Stanislas la repoussa, prétextant qu'il devait rentrer chez lui. Il lui souhaita une bonne soirée, puis se dirigea vers son logis sous le regard médusé de Violette.

Quelques heures plus tard, Mathias regagna le hangar à son tour. Il était de toute évidence épuisé de sa journée, mais il ne laissa rien paraître à son frère.

— Tiens! Salut, Stan! Comment c'était à l'école aujourd'hui? s'enquit-il, en simulant un sourire.

— C'était génial! J'ai appris des tas de nouvelles choses! Je me demande même pourquoi je n'y suis jamais allé avant! s'exclama-t-il.

Les jumeaux se mentaient mutuellement, mais aucun d'eux ne s'en rendait compte.

— Je suis heureux de l'entendre. Moi aussi j'adore mon travail! Mon contremaître trouve que je fais du bon boulot, je risque d'avoir une promotion! affirma-t-il en riant nerveuse-ment. Lorsqu'il ouvrit la bouche, Stanislas remarqua qu'il lui manquait une dent.

— Où es passé ta canine droite? Et pourquoi as-tu la lèvre fendue?

— Ah! Ça? C'est rien! J'ai croqué dans une pomme trop dure tout à l'heure, c'est tout! C'était une dent de lait, de toute façon, faut pas trop s'inquiéter, ça va repousser, assura-t-il, alors qu'il se mit à saigner du nez. Il essaya de se camoufler le visage, mais Stanislas l'avait déjà remarqué. Mathias opta pour la fuite en avant:

— Ne t'inquiète pas pour ça non plus, Stan, c'est tout à fait normal, j'ai trébuché sur une pierre en rentrant! expliqua-t-il avant que son frère ne lui pose la question.

— Pourquoi portes-tu des gants?

— C'est pour mon boulot! Je te l'ai déjà dit hier!

— Pourquoi tu ne les enlèves jamais?

— Arrête de me poser des questions stupides, veux-tu? tu m'énerves! Tu n'as pas des devoirs ou des leçons à faire, toi? Laisse-moi tranquille, j'ai faim! Il sortit de sa poche un pain, restant de son repas de midi, et s'éloigna pour manger en paix.

— Ça va faire presque trois semaines que tu reviens du travail en ronchonnant dès que je te pose des questions. Qu'est-ce qui se passe? Pourquoi ne me racontes-tu rien? s'inquiéta Stanislas.

— Je t'ai dit que tout va à merveille! Bon, je suis peut-être un peu fatigué, c'est vrai, je l'admets, mais c'est tout.

— Bon, bon, ça va, je te crois… Ça te dirait de faire une petite partie de cartes avec moi? demanda Stanislas.

— Non, merci! Une autre fois, peut-être. Je préfère dormir. On se reprendra! Bonsoir!

— Bonsoir, Mathias… répondit-il plutôt surpris de cette ré-ponse. Si son frère refusait de jouer aux cartes, c'est qu'il n'allait vraiment pas bien.

Comme à chaque nuit, Mathias ruminait sa peine:

Bon sang! Jamais je n'aurais cru regretter un jour de ne plus servir la messe… Même l'odeur de l'encens me manque! Papa avait raison… Je n'aurais pas dû être aussi optimiste envers cette tâche. Travailler, c'est dur. Comment faisait-il, lui, pour être aussi souriant? Aurai-je un jour sa force?

Il se cacha la tête dans l'oreiller pour que son frère ne l'entende pas sangloter. Il était beaucoup trop orgueilleux pour révéler à son frère qu'en réalité, depuis sa toute première journée de travail, il affrontait une vraie torture à *Boott Cotton Mills*.

Tout d'abord, le contremaître à qui on l'avait confié était un dénommé Dominico Moretti. Fils d'immigrants italiens, Dominico avait été un simple ouvrier pendant 22 ans. Un jour, sa persévérance et son acharnement avaient été récompensés: il avait été nommé contremaître. Au lieu de ressentir de la compassion et du respect pour ses anciens collègues, il les traitait comme des rats. Il était pire que le pire des contremaîtres américains. Il se croyait tout permis et il pouvait décider de renvoyer quelqu'un sans aucune raison, juste parce qu'il en avait envie. Ce jeune homme vicieux de 28 ans détestait par-dessus tout les Canadiens français. Personne n'avait jamais su pourquoi il vouait une telle haine à ces gens en particulier, mais ceux-ci devaient sans cesse encaisser ses sautes d'humeurs. S'il avait l'occasion de faire du tort à l'un d'eux, il ne s'en privait pas.

C'est d'ailleurs ce qui était en train d'arriver à Mathias. Sachant que les Irlandais ne portaient pas les Canadiens français dans leur cœur, il l'avait expressément envoyé travailler dans leur secteur, comme il aurait lancé une proie à des prédateurs. Les Irlandais le harcelaient constamment. Mathias, pratiquement le seul Canadien français de ce secteur, se sentait entouré d'une soixantaine de Pat O'Donnell.

Même les adultes s'en étaient mêlés, un peu comme si cet enfant représentait le *Petit Canada* au grand complet. Il était leur souffre-douleur. On lui faisait des remarques peu flatteuses sur les mœurs de ses congénères, jugés sans cœur parce qu'ils préféraient faire des dons à l'Église plutôt que d'acheter des médicaments pour leurs enfants malades. Ou encore, qu'ils faisaient beaucoup de bébés dans le seul but de les faire travailler afin de gagner plus d'argent. C'est d'ailleurs pourquoi la rumeur voulait que les Canadiens français mentent sans remords sur l'âge de leurs enfants pour qu'ils puissent travailler dès cinq ans, pratique inacceptable pour les Irlandais, mais également proscrite par la loi américaine, bien que les industries ferment souvent les yeux sur ce passe-droit. Les patrons allaient même jusqu'à cacher les enfants en bas âge lors de la visite des inspecteurs. Ce qui les mettait vraiment en colère, c'est qu'en raison du fait que les Canadiens français ne participaient jamais aux grèves que les immigrants tentaient de créer pour obtenir de meilleures conditions de travail, aucun employé ne recevait jamais de privilèges ni d'augmentation de salaire. Pour eux, ils étaient des gens trouillards et sans fierté, qui ne se contentaient que de peu, et cela les répugnait. Ce n'était pas étonnant que les employeurs adorent ces Canadiens français aussi obéissants et peu exigeants.

Quand on avait fini d'attaquer les *Frogs*, en général, on attaquait personnellement Mathias. On ne cessait de critiquer son travail, de le traiter d'incompétent et de lui faire des mauvais coups pour lui rendre la vie infernale. On l'agressait aussi physiquement. Mathias ne se laissait pas faire et embarquait dans de violentes querelles avec des hommes ayant parfois le double, voire le triple de son âge. C'est d'ailleurs dans une bataille pareille qu'il avait perdu une dent et qu'il s'était fendu la lèvre.

Son boulot était aussi inhumain que l'étaient ses relations sociales. Bien que facile, sa tâche était monotone, désagréable et surtout dangereuse. Il devait rester planté debout à surveiller l'une des machines pendant 13 heures d'affilée. Il était aussi chargé de nettoyer les bobines encrassées, de ramasser les fils de coton sous les métiers à tisser et d'attacher les fils brisés sous les machines en marche. D'ailleurs, cette dernière opération ne cessait de lui causer des blessures sur le bout des doigts. Comme il devait travailler avec minutie à l'aide de ses ongles, il ne pouvait pas mettre de gants pour travailler. C'est pourquoi il en portait uniquement après le travail pour que son frère ne voit pas ses doigts ensanglantés. Il devait également travailler pieds nus, car cela l'aidait à prendre appui lorsqu'il devait grimper sur les machines pour en vérifier l'état. Ses cors aux pieds étaient nombreux et souffrants. Sur certains de ses orteils, de la corne commençait à se former. De plus, le puissant bruit des machines résonnait sans cesse dans ses oreilles et persistait des heures après qu'il ait quitté la fabrique. Sans parler du fait que la vapeur de la machinerie lui causait des inflammations oculaires. La température ambiante à l'intérieur de la fabrique se situant entre 32 et 48 degrés Celsius, il avait régulièrement des nausées. Ce n'était d'ailleurs pas rare de voir des ouvriers perdre connaissance ou vomir. Pour tout ça, il ne gagnait que sept cents de l'heure. Cela lui donnait un salaire hebdomadaire d'environ 5,04 $, qui lui permettait de payer de justesse le loyer mensuel demandé par monsieur Smith. À ce rythme-là, il ne pourrait jamais accomplir la promesse faite à son père de récupérer leurs meubles. Il se contraignit à sauter son petit déjeuner pour économiser davantage et permettre à son frère de manger à sa faim.

La seule parcelle de joie qui lui restait au cœur était de penser à Cétacia, ce royaume qu'on lui avait promis. Là où on le respecterait… Là où il ne serait pas traité en esclave… Là où il serait enfin apprécié à sa juste valeur.

CHAPITRE VI

Le baptême de sang

— Il faut absolument empêcher Stanislas de se rapprocher de Rosine! Je les ai vus discuter ensemble hier après-midi et ça m'a dégoûtée, affirma Violette à deux de ses camarades de classe.

— Tu as tout à fait raison. Ça serait honteux qu'un garçon aussi mignon soit son ami.

— Je suis tout à fait d'accord avec vous deux. Il est trop craquant pour ça! Ce garçon dégage quelque chose de spécial… On dirait un prince charmant sorti tout droit d'un conte de fée, s'extasia une autre fillette.

— Ne vous faites pas d'illusions, les filles: il est pour moi! Je lui ai même révélé l'emplacement de mon trésor!

— Comment, Violette? Tu lui as vraiment dit où tu cachais ton trésor? Tu ne nous l'as jamais révélé, à nous! Tu nous as toujours fait entendre que tu ne partagerais ce secret qu'avec celui qui réussirait à enflammer ton cœur! Tu dois vraiment l'aimer alors!

— Taisez-vous, il s'en vient par ici, faites comme si de rien n'était, ordonna Violette en se dépêchant d'entrer dans l'école.

Stanislas pénétra à son tour dans le bâtiment et fut accueilli chaleureusement par Violette qui lui avait dessiné un cœur sur son ardoise. En l'apercevant, Stanislas, peu démonstratif, se contenta de lui témoigner un timide remerciement et préféra observer avec pitié Rosine, seule à son pupitre. Dès que sœur Marie-Madeleine mit le pied dans la classe, elle se braqua devant elle, au grand bonheur des autres.

— Mademoiselle Rivard, on a fait son devoir de mathématiques? proféra-t-elle en se croisant les bras.

— Oui, bien sûr! Rosine semblait extrêmement fière d'elle jusqu'à ce qu'elle constate que son cartable avait disparu. Elle regarda autour d'elle complètement paniquée, mais en vain.

— Alors, ça vient?

— Je ne comprends pas, j'étais sûre d'avoir mon cartable avec moi.

— Encore un de vos mensonges, j'imagine!

— Je vous jure! J'ai vraiment fait mon devoir! J'ai travaillé très dur toute la soirée, hier!

— Elle a dû le grignoter avec ces deux énormes dents, ma sœur! articula un camarade de classe et alors les plus jeunes se mirent à scander en chœur: «Rosine la lapine». Violette ne pouvait pas s'empêcher de se joindre à ces rires et chuchota même à l'oreille de Stanislas qu'en réalité, elle avait demandé à Gilbert, un grand de sixième année, de lui subtiliser son cartable pendant qu'elle avait le dos tourné, puis il l'avait accroché à une branche de l'érable situé dans la cour d'école. Stanislas fut très offusqué par cette méchanceté et décida de vendre la mèche à sœur Marie-Madeleine avant qu'il ne soit trop tard. La religieuse disait, au même moment:

— Silence, les enfants! Mademoiselle Rivard, je n'aurai donc pas d'autre choix que de vous punir! Ma patience a des limites, acheva-t-elle, en brandissant sa règle de bois.

— Attendez, ma sœur! Rosine dit la vérité! Un malfaisant a accroché son cartable sur une branche d'arbre dans la cour! déballa Stanislas en se levant.

— Sale petit rapporteur! De quoi tu te mêles? s'insurgea à haute voix un jeune homme de 14 ans. Il était si surpris qu'il ne s'était pas aperçu qu'il venait de se dénoncer lui-même.

— C'est donc vous! Allez me le décrocher immédiatement, monsieur Tremblay. Et ne traînez pas, sinon, je vous fais recopier une parabole complète à treize reprises! menaça la religieuse.

— Compris, ma sœur! J'y vais, j'y vais! lâcha-t-il, en se précipitant vers la porte.

— Je vous fais part de mes excuses, mademoiselle Rivard. Navrée d'avoir douté de votre honnêteté, se contenta-t-elle de dire, en lui mettant une main sur la tête. Violette était rouge de colère envers Stanislas.

Comment mon futur amant a-t-il pu faire une telle chose! pensa Violette en serrant les dents.

Merci, Stanislas. Tu n'es peut-être pas si méchant que ça, pensa Rosine en fixant la nuque de Stanislas.

À la récréation, Violette concocta un plan avec ses camarades pour briser l'amitié naissante entre Stanislas et Rosine. Elle se dit que si elle n'était pas capable de la faire haïr de Stanislas, le contraire ne serait peut-être pas impossible. Violette invita le garçon à se joindre à une partie de ballon chasseur. Elle se plaça stratégiquement devant Rosine qui, appuyée contre un arbre, griffonnait sur son ardoise. Lorsque ce fut au tour de Stanislas de lui lancer le ballon, Violette l'incita à le tirer de toutes ses forces et esquiva le ballon, qui atterrit sur le profil de Rosine. Tous les enfants se mirent alors à rire aux larmes et à féliciter Stanislas pour son bon coup.

— Je… Je… Je suis vraiment désolé, Rosine… Je ne voulais vraiment pas te blesser… s'excusa Stanislas, complètement paralysé.

— Allons, Stanislas, inutile d'être aussi hypocrite, roucoula Violette en le prenant par les bras.

— Oui, c'est vrai, Stanislas! Tu nous as dit ce matin que tu en mourais d'envie et je te cite: « Ça serait bien de lui fendre les dents en deux pour qu'elles aient enfin la bonne taille », dit une autre fille pour mousser le mensonge.

— Tu as aussi dit qu'elle est tellement laide que ça ne changerait rien à son visage, même si tu lui cassais le nez.

— Non, c'est faux, jamais je n'aurais affirmé de telles choses. Est-ce que ça va, Rosine ? demanda-t-il, inquiet. S'approchant de la jeune fille, il constata qu'elle se cachait l'œil gauche. Elle s'éloigna en pleurant.

— Ne t'occupe plus d'elle, tu vois bien qu'elle ne veut plus te parler ! Ne perds pas ton temps avec cette petite sotte et reste avec tes vrais amis, jubila Violette, fière de son coup, en lui tenant l'épaule.

Stanislas ne lui répondit pas, préféra lui donner un petit coup d'épaule pour qu'elle le lâche et partit à la poursuite de Rosine.

Rosine pleurait, tout en courant.

J'en ai assez, j'en ai vraiment assez ! C'est aujourd'hui que tout va cesser ! se promit-elle en s'arrêtant à une intersection.

Puis, entendant les sabots d'un cheval claquer vivement le sol, annonçant qu'une carriole pressée s'approchait à toute allure, elle prit une grande inspiration, prête à se jeter devant l'attelage dans l'espoir de se faire frapper et de mourir. Elle tremblait d'émotion, mais prit son courage à deux mains et s'élança vers le milieu de la rue quand, soudain, elle sentit qu'on la tirait vers l'arrière ; la carriole passa à quelques centimètres d'elle.

— Hé ! mais qu'est-ce qui t'est passé par la tête ? C'est dangereux ! dit Stanislas en tenant fermement la jeune fille par le bras. Elle ne put s'empêcher de rougir lorsqu'elle aperçut le visage angélique du garçon.

— De quoi te mêles-tu ? Pour une fois que j'avais trouvé le courage de le faire ! dit-elle en se débattant.

— Du courage ? De l'inconscience plutôt ! Tu n'as pas le droit de détruire ta vie comme tu t'apprêtais à le faire !

— Qu'est-ce que le garçon le plus populaire de l'école en sait ? Ça fait des années que je suis ici à me faire ridiculiser alors que toi, tu tombes du ciel du jour au lendemain et réussis à charmer tout le monde juste en levant le petit doigt, et puis tu… Rosine s'arrêta soudainement de parler.

En voyant ses doux yeux bleus remplis d'empathie, elle perdit la force de le blâmer. Elle n'a encore jamais vu d'yeux aussi bleus et étincelants que ceux de Stanislas !

— J'étais simplement venu m'excuser. Ne crois pas ce que Violette et les autres ont raconté tout à l'heure, c'est un mensonge. Ne t'enlève pas la vie pour ça, je t'en prie. Tu risquerais d'aller dans les limbes et tu y serais malheureuse pour l'éternité, acheva-t-il tristement. Il l'invita à s'asseoir au bord de la rue pour discuter un peu.

— Qu'est-ce que les limbes ?

— C'est un endroit situé entre le paradis et l'enfer. Il n'y a rien, c'est le néant total. On y trouve les âmes des enfants qui n'ont pas été baptisés et celles de ceux qui se sont suicidés, car leur vie n'était pas achevée. C'est la pire chose qui puisse arriver à quelqu'un. J'aurais beaucoup trop de peine de savoir qu'une de mes camarades de classe se trouve là-bas. Surtout, si c'est celle qui a le plus beau sourire de toutes ! ajouta-t-il, en essuyant ses larmes du bout du doigt.

— Tu dis ça pour te moquer de mes dents, j'imagine, se hâta-t-elle d'affirmer. Elle était si habituée de se faire embêter que même un compliment pouvait signifier un sarcasme à son égard.

— Non, je le pense vraiment. Tu avais un si beau sourire lorsque tu étais fière de montrer à sœur Marie-Madeleine que tu avais fait ton devoir de mathématiques, ce matin.

— Alors, pourquoi essaies-tu d'être aussi gentil avec moi ? Tu risques de perdre ta popularité, si on nous voit ensemble. Tu ferais peut-être mieux de me laisser ici et de retourner en classe.

— Et alors ? Pourquoi aurais-je le droit d'avoir des amis et pas toi ? Je n'ai rien fait de spécial. Je ne vaux pas mieux que toi, et Violette ne vaut pas plus que moi. C'est injuste, ils te mettent à l'écart comme si tu avais une maladie contagieuse.

— Si tu savais comme j'en souhaite une… Au moins, elle m'emporterait loin d'ici.

— Ce que tu affirmes est horrible, Rosine ! Pense à tous ceux qui auraient aimé être en santé comme toi, dit Stanislas d'un ton sérieux. En entendant son affirmation, il ne pouvait s'empêcher de penser à son père, ce qui le mit en colère. Il empoigna Rosine par les avant-bras pour la forcer à le regarder dans les yeux, mais dès qu'il posa son geste, la jeune fille poussa un cri strident.

— Oh, vraiment navré, je me suis un peu emporté, je ne voulais pas te faire de mal. Je ne savais pas que j'avais appuyé si fort, dit-il, mal à l'aise. Il retroussa les manches de sa robe afin de la frictionner.

À ce moment, il s'aperçut que les bras de Rosine étaient couverts d'ecchymoses. Certaines étaient jaunâtres, signifiant qu'elles étaient en voie de guérison, mais d'autres étaient si larges et si bleues qu'on aurait cru qu'elle avait la peau noire. Il souleva légèrement ses longues chaussettes et remarqua le même phénomène sur ses jambes.

— Qui t'a fait ça ? souffla Stanislas, estomaqué par sa terrible découverte, mais Rosine hésita un moment.

— Tu ne le répèteras à personne, n'est-ce pas ?

— Promis.

— C'est mon père… Mais seulement lorsqu'il prend trop de boisson. Le reste du temps, je te le jure, il est vraiment gentil avec moi. Ça n'arrive que de temps en temps, acheva-t-elle avant d'éclater en sanglots.

Cette vérité laissa Stanislas abasourdi. Il ne savait pas qu'il était possible dans d'autres familles qu'un père batte son enfant. Jamais le sien n'oserait user d'une telle brutalité envers son frère ou lui, même quand il leur infligeait un châtiment corporel.

— Je ne crois pas qu'il puisse être gentil : sous des bleus, il y en a d'autres qui sont en train de guérir ! On ne voit presque plus ta peau, Rosine ! Il doit taper sur toi tous les soirs, je ne vois pas d'autre explication.

— Tu comprends, maintenant, pourquoi je veux partir ! Il n'y a personne qui me veut ici ! Tous ceux qui auraient pu m'aimer m'attendent au Ciel : mes deux sœurs, ma grand-mère et ma mère. Je ne trouve aucun répit, ni à l'école ni à la maison ! Depuis que ma mère est morte, mon père a sombré dans l'alcool. Il ne pense qu'à boire, à boire et à boire quand il n'est pas à me battre. Je déteste ce monde autant qu'il me déteste, hurla-t-elle.

— C'est vrai qu'il est laid, le monde… Mais il est laid pour tout le monde, Rosine… Ton rôle est justement de l'embellir tout en pardonnant sa cruauté. Tout être humain naît pour cette raison. N'oublie pas que ce monde sera aussi ton cercueil. Il faut donc, dès maintenant, commencer à embaumer ton corps de roses pour que tu puisses reposer dans ce cercueil sans regret ni tristesse en humant éternellement leur doux parfum. Si tu ne le fais pas, tu ne trouveras jamais la paix. Je sais, ça fait mal. Les roses sont couvertes d'épines et font parfois saigner ton cœur, mais imagine que tes souvenirs en sont les pétales. Que ce ne soit qu'un simple sourire ou une larme de joie, je suis sûr qu'il y a quelque chose qui te fournit la force d'endurer toutes ces épreuves et te donne ce si joli sourire.

Stanislas fouilla alors dans sa poche. Il sortit un chapelet rouge et le plaça au creux de la main de Rosine.

— Tiens, je crois qu'il te sera plus utile qu'à moi.

— Merci, il est magnifique. C'est la première fois qu'on me fait un cadeau… Mais pourquoi un chapelet ?

— Pour que tu comptes les belles journées que tu as passées en associant chacune des perles à celles-ci. Ainsi, elles te sembleront encore plus précieuses et te prouveront qu'elles existent. Chaque instant est unique. Si tu passes une mauvaise journée, dis-toi qu'elle ne reviendra pas. Il y en aura encore sûrement d'autres et peut-être même des pires. Il y a plus d'épines que de roses dans un rosier après tout, non ?

— C'est vrai, demanda-t-elle en essuyant ses larmes. Elle huma ensuite le chapelet que le blondinet venait de lui remettre et s'aperçut qu'il sentait la rose.

— Alors, commence à semer ton rosier dans ton cœur ! Je suis sûr que tu y arriveras. Si tu es triste, regarde ton chapelet et remémore-toi, à travers tes larmes et ta douleur, les instants de bonheur que tu as vécus, dit-il en l'étreignant avant de la quitter.

Rosine le regarda s'éloigner, puis, toucha à la première perle du chapelet, souriante, en pensant qu'un camarade lui avait offert son amitié après toutes ces années. Elle décida qu'aujourd'hui serait la première journée de ce décompte des joies…

Après les cours, sœur Marie-Madeleine rangea les affaires de Stanislas, qui n'était pas revenu en classe. Elle fut impressionnée par la qualité de sa plume alors qu'à peine trois semaines auparavant, elle avait pourtant bien vu qu'il ne savait pas lire ni écrire et qu'il était encore moins capable de nommer le président des États-Unis. Il semblait maîtriser aussi bien le français que l'anglais, comme s'il avait vécu en Amérique toute sa vie. Il n'aurait jamais pu faire d'aussi grands progrès en si peu de temps. De toute évidence, il n'avait vraiment pas sa place en première année. Elle remarqua que son pupitre contenait d'épais livres abordant l'arithmétique, la physique, la théologie et la philosophie. Elle n'en croyait pas ses yeux. Comment un gamin de 12 ans pouvait-il avoir décidé par lui-même d'emprunter ces ouvrages complexes ? De toute évidence, elle avait affaire à un surdoué. Elle songea au moyen d'aborder discrètement le sujet avec lui, dès qu'elle en aurait la possibilité…

***

De retour chez lui, Stanislas entendit ce qu'il identifia comme les gémissements d'un bébé. Ceux-ci provenaient du fond d'une ruelle. Était-il le seul à entendre ces sons ? C'est ce qu'il crut, en voyant tous les autres passants agir comme si de rien n'était. Stanislas décida d'aller y jeter un coup d'œil. Il y avait là quantité de déchets dans lesquels des corbeaux et des mouettes essayaient de dénicher quelques rares morceaux de nourriture. Il trouva, enveloppé dans du papier journal, un bébé complètement nu et tellement petit que Stanislas se demanda s'il ne venait pas juste de naître. Il pleurait, mais faiblement. En le prenant dans ses bras, il constata qu'il était brûlant de fièvre. Observant avec plus de minutie le minuscule corps chétif, Stanislas vit qu'il s'agissait d'une petite fille. Il comprit immédiatement pourquoi elle avait été cruellement abandonnée dans cette ruelle…

En effet, hormis le chômage, un autre fléau effrayait les familles ouvrières de Lowell plus que tout au monde : la quarantaine. Cette procédure imposée avait pour effet d'isoler complètement dans son logement – et ce jusqu'à ce que les autorités de la Ville n'en décident autrement – toute la famille d'un enfant souffrant d'une maladie contagieuse. En pareil cas, personne ne pouvait sortir pour aller au travail. C'était pour ainsi dire condamner toute cette famille à la famine et la contraindre à l'exil. Si un enfant, et particulièrement un bébé, qui, de toute évidence, ne pouvait subvenir seul à ses besoins, attrapait une maladie contagieuse et que les parents n'avaient pas les moyens de payer les honoraires d'un médecin, on préférait parfois s'en débarrasser avant qu'un inspecteur de la Ville ne le découvre ou qu'un voisin ne le dénonce. Si un inspecteur trouvait un malade non déclaré, la famille de celui-ci était condamnée à de lourdes amendes que, la plupart du temps, elle n'avait pas les moyens de payer. C'était alors la prison pour le chef de famille.

Cependant, compte tenu de l'âge du poupon, qui devait à peine avoir quelques jours sinon quelques heures, une autre hypothèse plausible effleura l'esprit du garçon. Cette fillette aurait pu avoir été abandonnée par une fille-mère apeurée à l'idée qu'on la traite de pécheresse si elle décidait de garder l'enfant.

Stanislas, poussé par une impulsion, décida d'amener le bébé jusqu'au hangar. Quand Mathias revint du travail, il fut étonné de voir Stanislas avec le bébé entre ses bras.

— Qu'est-ce que tu fais avec ce bébé? demanda-t-il, surpris.

— *Une âme naissante t'interpellera. Par son sacrifice sur la croix, elle te baptisera de son sang pur afin de te léguer son innocence. Son dernier soupir insufflera la vie à ceux qui en auront besoin dans ce monde nouveau qui s'ouvre à nous. Ainsi commencera ta quête.* Voilà, ce que maman nous a dit. Je crois que c'est elle l'âme naissante dont elle nous parlait, dit Stanislas.

— Comment peux-tu en être sûr?

— Ce bébé n'a pas été mis sur mon chemin par hasard. Dès que je l'ai vu, j'ai compris que c'était par lui que nous allions recevoir notre baptême de sang…

— Qu'envisages-tu?

— De réaliser le testament de notre mère tel qu'elle l'a écrit.

— Attends, là, tu délires… Nous n'allons quand même pas…

— Il le faut, Mathias… Il le faut, dit-il en ramassant dans un coin du hangar des clous rouillés et un marteau qu'ils avaient réussi à subtiliser à leur propriétaire. Les deux garçons s'en servaient pour solidifier les planches de leur abri contre les grands vents.

— Tu ne penses quand même pas crucifier cette petite fille? Je refuse! Il faut la retourner où tu l'as trouvée.

— Tu ne comprends pas! Elle n'a plus de famille! Elle a été abandonnée! Tout le monde se moque de son sort! Elle mourra de toute façon! Regarde-la pleurer, regarde-la souffrir! Elle est condamnée, Mathias! Parce qu'elle sera sacrifiée pour le bien de Cétacia et de l'humanité, nous avons une chance de lui offrir la vie éternelle! Sinon, elle tombera dans les limbes! plaida

Stanislas, si ému qu'il en avait pratiquement les larmes aux yeux.

— Arrête! Tu n'as sûrement pas plus envie que moi de tuer cette enfant, alors comment oses-tu me le demander?

— Pour le bien de papa… Ne comprends-tu pas, c'est ce que maman essayait de nous dire lorsqu'elle a écrit: *Son dernier soupir insufflera la vie à ceux qui en auront besoin dans ce monde nouveau qui s'ouvre à nous.* Maman devait avoir pressenti que cet humain, qui avait été si bon et généreux à son égard, allait contracter cette terrible maladie. Elle se devait de prévoir un moyen de lui sauver la vie pour le remercier d'avoir élevé ses baleineaux. Tu ne vois pas que tu as devant toi cette âme naissante qui lèguera, par son sacrifice, des poumons à papa pour remplacer les siens affectés par la tuberculose? Que ces jeunes poumons neufs se transformeront éventuellement en branchies pour lui permettre de venir vivre dans notre palais à Cétacia avec nous, une fois notre mission accomplie? Avec leur savoir beaucoup plus avancé que le nôtre, les cétacés feront le nécessaire pour la transplantation! C'est le seul moyen de le sauver, Mathias… Si on ne fait rien, de jour en jour, l'état de notre père se détériorera jusqu'à ce qu'il agonise. Je crois qu'il n'en a pas pour bien longtemps.

Le cœur de Mathias battait la chamade. Il prit un moment pour réfléchir. Il constata que l'enfant était véritablement mal en point. Bien que ses pleurs aient cessé, ses faibles gémissements n'étaient pas signe d'une amélioration de son état de santé. Au contraire, sa respiration saccadée s'interrompait pendant de longs instants pour ensuite reprendre difficilement en un râle qui n'inspirait rien de bon. Ses yeux mi-clos laissaient apparaître des pupilles dilatées. Les spasmes qui secouaient irrégulièrement sa poitrine cessèrent tout à coup brusquement. Elle ne devait pas en avoir pour bien longtemps à vivre, à moins qu'elle n'ait déjà expiré son dernier souffle de vie, ce qui était tout à fait plausible, car son petit corps était totalement inerte. Mathias finit par agréer à la demande de son frère, se disant qu'après tout l'enfant était condamnée à mourir, à moins que ce ne soit déjà fait.

— Dessine une croix sur le plancher avec cette craie, dicta Stanislas, à contrecœur, en lui tendant une craie blanche.

Lorsque Mathias eut terminé, Stanislas déposa le corps de la petite fille au centre de celle-ci. Mathias prit un clou et s'apprêta à l'enfoncer dans la main droite du nourrisson. Il tremblait et des larmes roulaient le long de ses joues.

— Courage, Mathias… Tu te souviens, lorsque je te disais que la force était aussi d'être capable de supporter la mort sur sa conscience? Nous devons être courageux! Je vais planter le clou dans sa main gauche à l'aide de mon soulier, afin que tu ne supportes pas cette épreuve seul. Attention, on y va, sinon nous ne le ferons jamais.

Les deux gamins fermèrent les yeux et plantèrent leurs clous dans les mains de la petite fille qui n'eut aucune réaction. Ils firent la même opération sur ses petits pieds. Curieusement, aucun sang ne jaillissait de l'endroit où avaient été plantés les clous.

Mais l'horrible tâche était loin d'être terminée. Mathias, saisissant un vieux couteau de pêcheur qui servait initialement à son père pour éventrer les poissons, demanda à Stanislas de le tenir conjointement avec lui. Ils le plantèrent dans le cœur du cadavre de l'enfant. À peine un petit filet de sang s'écoula de la blessure lorsqu'on en retira le couteau. Stanislas fit alors un signe de croix et se mit en position de prière. Il incita son frère à en faire autant, par respect pour l'enfant.

— Seigneur, accueille cette petite fille à laquelle nous vouerons une éternelle reconnaissance pour nous avoir permis d'ouvrir les portes de notre royaume et d'enivrer de paix le cœur de tous les hommes et des cétacés… Que ce sang pur apaise nos vices, prononça solennellement Stanislas.

Mathias, tout en écoutant son frère et pour se rassurer, mijota l'idée qu'ils n'avaient peut-être commis aucun meurtre, car au moment où furent posés leurs gestes, l'enfant avait déjà quitté le monde ; après tout, très peu de sang avait coulé, signe évident, selon lui, que le cœur du bébé avait cessé de battre bien avant ; malgré cela, il ne pouvait s'en convaincre avec certitude.

— Qu'avons-nous fait, Stan… Nous sommes peut-être des meurtriers, s'exclama Mathias, tout à fait contrit, à moins que la pauvre enfant ne fut déjà morte avant que nous accomplissions notre forfait.

— Non, Mathias, ne dis pas cela. Pour que s'accomplisse la prophétie de maman, il faut qu'elle ait vécu jusqu'à ce que nous-mêmes l'ayons délivrée de son triste sort… Que vaut la vie d'un seul enfant contre celle de tous les êtres vivants ? Un tel sacrifice était nécessaire afin que nous puissions commencer notre mission divine.

— Je ne te reconnais pas, on dirait que tu prends ça à la légère. Stan, nous venons peut-être de tuer un nourrisson ! Pas un ver de terre !

— Tu te trompes, Mathias. J'ai autant de peine que toi, mais pense à papa, pense à notre nouvelle vie, pense à ce monde de paix que nous préparons pour tous les enfants qui ne sont pas encore nés !

— Moi, j'ai des doutes. Papa n'aurait jamais accepté que nous tuions un enfant pour le sauver… S'il venait à l'apprendre… que penserait-il de nous ? Non Stan, nous avons commis une erreur, je le sens ! affirma-t-il nerveusement, regrettant visiblement son geste.

— Maman nous avait avertis que ce serait difficile… Très difficile pour nous… Rappelle-toi la lettre : *Tu auras l'impression de régresser et de perdre ta conscience, mais il le faut pour obtenir rédemption… Tu feras souffrir ceux qui t'entourent, mais le cœur qui souffrira le plus sera le tien.*

Stanislas se releva et saisit leur courtepointe. Il recouvrit le cadavre du bébé. Mathias sortit son harmonica et essaya du mieux possible de jouer l'air que son père leur avait fait écouter, comme s'il voulait rendre hommage à l'enfant. À mesure que les notes sortaient de l'instrument, le cœur de Stanislas se remplissait également de remords; à moins que l'hypothèse suggérée par son frère à l'effet que le bébé était déjà trépassé au moment du sacrifice soit exacte... auquel cas il faudrait tout recommencer. En auraient-ils le courage?

Mais non, le bébé était bel et bien vivant, il fallait qu'il le soit. Sinon pourquoi aurait-il été mis sur son chemin. Rien n'arrive par hasard, se répéta-t-il. Si Mathias semait des doutes, il faudrait absolument les chasser.

Il appuya mélancoliquement sa tête contre l'épaule de son frère, puis il ferma les yeux pour se recueillir. Les notes qui provenaient de l'harmonica réussissaient, malgré tout, à le réconforter.

CHAPITRE VII
L'ange gardien

De jour en jour, la relation entre les jumeaux s'envenimait. Mathias revenait du travail si tendu qu'un rien pouvait le faire sortir de ses gonds. Il ne cessait de crier après Stanislas ou de le bousculer. Stanislas avait beau faire tout son possible pour plaire à son frère et se rendre utile, que ce soit en allant faire la lessive chez une voisine, en raccommodant ses vêtements ou en astiquant ses bottines jusqu'à ce qu'elles brillent, Mathias restait désagréable avec lui. Stanislas ignorait si ce changement de comportement était dû à la mort du nourrisson ou à sa tâche à la fabrique, mais il avait remarqué l'apparition de nouvelles lésions sur son corps et de profonds cernes de fatigue qui burinaient ses yeux presque en permanence. Ses saignements de nez étaient même devenus récurrents. C'est peut-être pourquoi il sentait le besoin d'évacuer, le soir venu, la rage qu'il refoulait toute la journée. Stanislas l'avait une fois surpris nu et avait été sidéré de constater à quel point il avait maigri. On voyait saillir ses os, tant ses muscles avaient fondu. Ces preuves d'épuisement incitèrent Stanislas à trouver le plus rapidement possible le moyen de compléter leur mission, afin de faire cesser son martyre.

Le seul moment de la semaine où Mathias retrouvait sa bonne humeur était le dimanche, sa seule journée de congé. Hélas ! dès le déclin du jour, tous ses rires et ses joies s'estompaient à mesure que baissait le soleil.

Les lundis matin étaient toujours pénibles pour le garçon. Il percevait comme un long calvaire les six jours qui le séparaient du prochain congé, ce qui ne le motivait pas à se lever. Aujourd'hui, en ce début d'août, un soleil de plomb se pointait, annonçant une superbe journée chaude et sans nuage. Quelques semaines auparavant, Mathias aurait sauté de joie, car il en aurait sans doute profité pour jouer à l'extérieur, mais ce matin torride signifiait qu'il allait étouffer durant tout l'après-midi dans la fabrique mal aérée. Mathias prit une grande respiration, s'habilla, puis partit affronter cette toute nouvelle journée de labeur qui l'attendait.

Il s'arrêta un moment devant l'église Saint-Jean-Baptiste et observa certains croyants au regard terne et malheureux qui y pénétraient pour prier. Lorsqu'il aperçut le curé Cadoret sur le perron, accueillant les fidèles, il se cacha à l'abri de la statue de la Sainte-Vierge qui ornait la façade. Il était beaucoup trop fier pour admettre que son ancienne vie de servant de messe lui manquait. Il y avait également autre chose qui provoquait cette réserve : depuis qu'il avait sacrifié la vie de cette petite fille, il avait l'impression que tout le monde était au courant de son crime. Il se sentait si honteux qu'il était incapable de regarder qui que ce soit dans les yeux. Il leva la tête et observa le visage de cette dame de pierre qui lui souriait. Elle semblait si aimante et complaisante avec ses bras ouverts qui semblaient l'inviter à venir vers elle, qu'il ne put s'empêcher de lui retourner son sourire. Dire que quelques mois plus tôt, il lui avait méchamment tracé, avec de l'encre, des lunettes et une moustache pour énerver le curé Cadoret. Quelques lignes étaient d'ailleurs encore apparentes.

Je me demande comment j'ai pu être assez stupide pour te faire une telle chose. J'étais immature à l'époque ! Franchement, vouloir vandaliser un aussi joli minois. Je me demande si maman avait un aussi beau sourire que le tien. Qu'est-ce que ça fait, d'avoir une mère? J'aurais tant aimé en avoir une pour qu'elle me serre dans ses bras, m'embrasse, me console lorsque j'avais de la peine et me gronde même lorsque j'avais fait le garnement! Je me moque qu'elle ait été une reine. Si elle avait été une servante, j'aurais été tout aussi heureux, pourvu qu'elle ait été en vie pour être près de moi, médita-t-il tristement en étirant son bras pour caresser le visage de la statue. Il lui dit ensuite au revoir.

Il regarda autour de lui en espérant que la voie était libre, car chaque matin, une calamité le guettait: depuis que Pat savait qu'il travaillait dans une fabrique, il ne cessait de lui jouer de sales tours sur le chemin menant à *Boott Cotton Mills*. À cause de lui, il était même déjà arrivé en retard un matin. Pour le punir, Dominico lui avait fait boire de force une bouteille de bière jusqu'à ce qu'il en soit malade et complètement saoulé. Il ne pouvait se permettre un autre retard. Lorsqu'il passait dans les ruelles, Mathias observait attentivement au-dessus de sa tête à chaque pas. Comme Pat avait l'habitude de se tenir sur les toits, en raison de son métier, il savait qu'il pouvait l'espionner de là-haut ou, pire, l'attendre patiemment pour lui lancer des objets dans le but de l'assommer. Il lui avait déjà lancé une balle de baseball si vigoureusement qu'elle lui avait fait une prune derrière la tête. Il était si concentré à regarder les toits des maisons qu'il n'aperçut pas la corde tendue exprès pour le faire trébucher. Il perdit l'équilibre et tomba à plat ventre.

— Vite, Barnaby, retiens-le! Il ne faut pas qu'il nous échappe, cette fois! commanda Pat à son camarade qui dégringola du toit en glissant sur une échelle avant de s'asseoir de tout son poids sur le dos du gamin.

Pat, accompagné, d'autres garçons – sans doute ramoneurs comme lui – descendit également sur la chaussée pour assister à la scène.

— *Fat,* espèce de gros lâche ! Au lieu de me tendre des pièges bidon, viens te battre contre moi si tu es un homme ! le défia Mathias, tentant de repousser la masse qui l'opprimait.

— Des pièges bidon, hein ? Alors, si tu tombes dedans, c'est que tu dois être stupide ! Merci de me le faire remarquer. Et après, ça se prend pour l'homme le plus fort du monde… Si tu savais, par contre, comme je suis heureux que tu te sois enfin décidé à travailler comme nous, petit têtard gâté. Alors, ça te plaît de te lever à quatre heures du matin ? Tu sais maintenant ce que je dois endurer depuis un bon moment déjà, pendant que toi tu t'amusais à tes jeux stupides. Crois-moi, tant que je serai là, tu peux compter sur moi pour commencer tes journées du mauvais pied ! cracha-t-il avec amertume.

Avec l'aide de ses deux camarades, il le projeta à plat ventre dans une flaque de boue. Pat sortit ensuite une grenouille verte qu'il gardait dans un seau. Celle-ci fixa le blondinet de ses grands yeux globuleux. Elle n'était pas plus grosse qu'un poing et des petites taches noires parsemaient son corps tel un léopard. Pat souleva par la ceinture le pantalon du jeune Canadien français pour y déposer l'amphibien. Mathias essaya de la faire sortir en gesticulant, alors que l'animal coassait et gigotait sur ses parties intimes. À le voir giguer ainsi, les garçons se tordaient de rire tout comme certains voisins qui, attirés par les cris, observaient la scène de leurs fenêtres.

— Allez, *Frog,* nous te laissons faire connaissance avec ton nouvel ami ! Entre compatriotes, vous allez bien vous entendre ! dit Pat en riant aux éclats avant de remonter sur le toit suivi de ses camarades.

— Maudit *Fat,* je vais finir par te rendre la monnaie de ta pièce un jour ou l'autre ! cria Mathias, récupérant la grenouille qui se débattait maintenant dans sa main. Violemment insulté, il la jeta contre le sol d'un geste colérique.

Tout à sa hargne, il rattacha sa culotte sans remarquer que la grenouille se faufilait dans son baluchon.

Arrivé de justesse à *Boott Cotton Mills,* où l'on s'apprêtait déjà à verrouiller les portes pour ne plus laisser entrer ou sortir personne, il décela instantanément les regards moqueurs qui s'appesantissaient sur ses vêtements trempés et boueux. Il venait à peine de mettre le pied dans l'établissement et de pointer sa carte de temps que ses collègues de travail irlandais se mirent à imiter le coassement des grenouilles. Mathias essaya d'ignorer les insultes dont il se sentait bombardé. De toute façon, il avait peine à les entendre tant le bruit lourd de la machinerie était envahissant.

Il avait besoin de garder toute sa concentration pour effectuer sa tâche. Un seul petit faux pas et il pouvait se faire facilement écraser la main par les énormes rouleaux à fils. Cela était d'ailleurs arrivé, la semaine précédente, à un garçon qui travaillait tout juste à côté de lui. Il ne voulait surtout pas subir le même sort.

Mathias ne savait jamais sur quel pied danser; son contremaître lui criait de s'activer et de travailler mieux, alors que les ouvriers le menaçaient pour qu'il ralentisse la cadence. S'ils voyaient qu'il travaillait vite et bien, cela allait leur nuire, car bien qu'ils aient pu en faire plus, les ouvriers s'étaient secrètement imposé un rythme de production qui leur permettait de régler à leur convenance la cadence infernale de l'ouvrage. Les Canadiens français étaient les seuls qui n'adhéraient pas à cette manigance et, encore une fois, Mathias en payait les frais...

À midi, une cloche annonçait la seule pause de toute la journée, la très attendue pause-repas à laquelle les employés avaient droit avant de reprendre le travail à midi cinquante. Chaque minute de cette heure bénie était donc précieuse pour tout le monde. Certaines personnes faisaient des pique-niques à l'extérieur, d'autres préféraient s'installer dans les allées et manger tout en se racontant des histoires ou des anecdotes, ou encore chanter des chansons du vieux folklore irlandais. Mathias, étant un garçon plutôt sociable, aurait bien aimé participer à leurs activités, mais on ne l'invitait que rarement et encore, c'était pour l'embêter. Parfois, certains enfants d'ouvriers en bas âge, dont la mère restait au foyer, venaient sur l'heure du dîner à la fabrique, apportant des soupes et des bouillis qu'ils vendaient sur place. Mathias ne pouvait pas profiter de ces repas chauds à l'instar de ses collègues, puisqu'ils augmentaient injustement le prix pour les Canadiens français, comme leurs parents leur avaient demandé de le faire. Il apportait donc son repas.

Ce midi-là, il s'installa sur le bord d'une fenêtre pour observer avec envie quelques jeunes enfants en train de jouer au ballon à l'extérieur. Il commença à déballer son baluchon pour prendre son repas lorsqu'il sursauta à la vue des deux énormes yeux jaunes qui le fixaient.

— Encore toi? Tu vas me ficher la paix à la fin, satanée grenouille! Fous le camp de mon sac ou je t'écrase! Tu m'as assez ridiculisé comme ça, lui confia-t-il en la déposant sur le sol.

Mathias commença à engloutir son déjeuner quand il s'aperçut que la grenouille restait là, devant lui, sans bouger, gonflant et dégonflant sa gorge en toute quiétude.

— Qu'est-ce que tu as? Pourquoi tu ne te sauves pas? Allez, saute ou sinon je te tue! Je te laisse trois secondes, énonça Mathias, le pied dans le vide, prêt à l'écraser. Mais quelque chose le faisait hésiter: *Tu parles d'une histoire… J'ai tué un bébé, mais j'ai de la difficulté à tuer un misérable petit batracien de ton espèce. C'est bizarre, mais si je t'écrasais, j'aurais l'impression de reproduire ce que ces Irlandais sans scrupule font avec moi,* s'épancha-t-il muettement en reposant son pied au sol.

Mathias avait capturé beaucoup de grenouilles quand il était plus jeune et savait qu'elles étaient farouches et prêtes à bondir au moindre signe de danger. Attiré par ce comportement inhabituel – la grenouille ne bronchait toujours pas –, il s'en approcha pour l'observer de plus près et remarqua qu'elle avait une patte arrière cassée, entravant ses déplacements.

— Voilà donc pourquoi tu sembles si docile ! C'est sans doute moi qui t'ai blessée à la patte quand je t'ai lancée contre le sol. J'étais si en colère que je n'y suis pas allé de main morte avec toi. Vraiment désolé ! Si je te laisse ici, c'est sûr et certain que tu mourras et si je te retourne dans la nature, tu te feras sans doute manger ! Alors, pourquoi ne pas rester avec moi ? Tu sais, je me sens très seul ici. Personne ne vient me parler. J'ai même parfois l'impression que les autres Canadiens français m'évitent pour ne pas avoir de problèmes. Je suis sûr que tu me feras un bon compagnon ! Peut-être que cet idiot de *Fat* avait raison après tout : entre *Frogs,* on pourra peut-être bien s'entendre ! Sans parler que tu nous seras très utile en nous débarrassant de tous ces insectes qui vivent dans notre hangar. Avec tous ces cafards, ces perce-oreilles, ces mites et ces araignées, tu ne risques pas de mourir de faim. Je sens qu'on va bien s'amuser, dit-il, heureux, en la prenant délicatement dans ses mains avant de la déposer dans la poche droite de son veston.

En après-midi, la routine reprit de plus belle. Tous les ouvriers étaient retournés à leur tâche respective. Mathias nettoyait une bobine quand un cri soudain résonna dans toute la bâtisse. Un homme venait de se coincer les doigts dans l'engrenage d'une machine en la huilant.

— *Help me! Help me! Help me!* hurlait le blessé en détresse, mais tout le monde continuait de travailler ; comme si ce genre d'événement était si courant que personne ne s'y intéressait plus.

— *Help!!!* s'époumonait l'homme en tirant de toutes ses forces sur ses doigts qui s'enfonçaient au rythme des engrenages.

Ne pouvant supporter davantage l'absence totale d'empathie de la part des autres, mais surtout l'horrible bruit des os des doigts qui craquaient, Mathias courut à la rescousse du travailleur accidenté en bousculant les autres au passage. Il arrêta la machine, sortit la main ensanglantée et toute déformée. Ses os devaient être fracturés en plusieurs endroits.

— Hé! qu'est-ce qui se passe! Pourquoi la production s'est arrêtée? protesta Dominico Moretti de son lourd accent italien, en se précipitant vers le lieu de l'accident.

Le levier qu'avait utilisé Mathias avait arrêté toute la machinerie à proximité, laissant la fabrique dans un silence anormal:

— C'est toi qui as fait ça, morveux? J'aurais dû m'en douter! Il n'y avait que toi pour commettre un acte aussi bête et irresponsable! s'enflamma le contremaître aux cheveux mi-longs aussi noirs que la nuit. Il ne fallait pas se fier aux traits délicats de son visage ni à ses yeux d'ange. Sa beauté sidérante n'avait d'égale que sa cruauté. Il empoigna solidement le bras de Mathias.

— *Signor* Moretti, il aurait perdu toute sa main si personne n'était venu l'aider! expliqua Mathias pour justifier son geste.

— Personne ne te l'a demandé! Ton rôle est de rester à ton poste, quoi qu'il arrive. Je serais intervenu si cela était devenu trop sévère! Tu n'étais pas autorisé à arrêter la machinerie!

— Qu'est-ce que *trop sévère* pour vous? Il aurait fallu attendre que son bras au complet soit pris dans l'engrenage, peut-être?

— Petit effronté! Ce n'est pas toi qui vas me dire comment faire mon travail! J'ai passé 22 ans de ma vie à recevoir des ordres! Ça me suffit! dit l'homme en le poussant violemment contre une machine.

Dominico s'avança vers l'ouvrier blessé et lui ordonna de lui montrer sa main.

— Ça va, tu ne sembles pas avoir besoin d'amputation. D'ici quelques semaines, elle devrait aller déjà mieux, diagnostiqua-t-il sèchement avant de se retourner vers les groupes d'ouvriers immobiles: Et vous, au lieu de nous épier, rendez-vous utiles et faites repartir la machinerie! Nous avons un retard à combler! On ne vous paye pas à rien faire! Quant à toi, morveux, je veux que tu restes après ton quart de travail pour laver le plancher en guise de punition. Cela va peut-être te faire réfléchir à ton comportement insolent. Ce n'est pas un petit Canadien français sans âme et sans identité qui va me marcher sur la tête ! proféra-t-il sévèrement.

— Oui, *signor* Moretti, balbutia le blondinet, la tête basse, avant que Dominico ne poursuive sa tournée de surveillance dans une autre rangée.

Le garçon se releva en se frottant la nuque, puis se rendit auprès de l'homme qu'il venait de sauver.

— Ça va aller, monsieur ? demanda Mathias à l'homme qui regardait intensément sa main blessée. À son grand étonnement, l'homme le fixait d'un air furieux. Il s'approcha de lui, puis lui donna un coup de poing au visage.

— Sale gosse ! Pourquoi tu as fait ça ? dit l'homme en colère.

— Je ne comprends pas. Vous devriez être heureux que vos doigts s'en soient plutôt bien tirés ! Ça aurait pu être bien pire, vous savez ! dit Mathias en se tenant la joue, l'air confus.

— Ça prend bien un crétin de *Frog* pour raisonner ainsi ! Au point où j'étais rendu, tu ne comprends pas que j'aurais préféré que mes doigts soient amputés ? Ainsi j'aurais peut-être eu droit à une indemnité de la part de la compagnie ! Là, je me retrouve à devoir prendre un congé sans solde, de force ! Ma femme vient de mettre au monde un enfant ! Comment je vais faire pour subvenir à leurs besoins, maintenant ? Qui te dit que monsieur Moretti voudra me reprendre après ma guérison ? Je ne sais pas ce qui me retient de t'étriper ! cria-t-il, furieux, avant de quitter la fabrique.

Mathias retourna à son travail, chagriné et confus. Il ne comprenait pas comment on ne pouvait pas être heureux d'avoir échappé à un tel accident. Un peu de gratitude aurait été grandement apprécié. Surtout que son acte lui avait collé une punition injustifiée. Il espérait de tout cœur que Dominico ne le retiendrait pas trop longtemps.

Lorsque résonna la cloche annonçant la fin du quart de jour, la plupart des ouvriers ramassèrent leur baluchon, puis retournèrent chez eux sans se faire prier. Mathias les regardait et aurait bien aimé les suivre pour se sauver de sa corvée, mais il savait que ça ne ferait qu'aggraver sa situation.

— Alors, tu es prêt à te mettre au travail, *bambino*? demanda Dominico en laissant tomber sans aucune délicatesse un seau d'eau et une brosse devant l'enfant.

Mathias entama donc en vitesse son labeur pour finir le plus rapidement possible. Même en se dépêchant, il en avait pour un minimum de deux heures à astiquer la totalité du plancher de cet étage. Il s'accroupit donc à quatre pattes pour le frotter avec vigueur jusqu'à en avoir mal au dos. L'eau savonneuse qu'il utilisait était terriblement bouillante, comme si Dominico avait fait exprès qu'il se brûle à chaque fois qu'il mettrait la main dans le seau.

— J'ai entendu dire que c'est toi qui jouais le saint patron des Canadiens français lors de votre minable petite fête nationale? demanda l'homme tout en allumant un cigare, même s'il était absolument défendu de fumer à l'intérieur de la fabrique.

— Oui, c'est exact, se contenta de répondre Mathias sans ajouter de détails.

— C'est un peu comme si tu représentais en quelque sorte tous les Canadiens français. Un genre de porte-parole pour ton pauvre peuple, finalement, supputa-t-il, en s'abaissant pour lui souffler la fumée de son cigare au visage.

— Est-ce pourquoi vous me détestez, *signor* Moretti?

— Peut-être.

— Alors, pourquoi ne pas m'envoyer travailler dans le secteur des Canadiens français? Comme ça, je serais dans les pattes d'un autre contremaître!

— Pourquoi? Tu n'es pas heureux avec moi? Lorsque tu t'es présenté à l'agent de placement, tu as affirmé que tu serais prêt à faire n'importe quoi pour la fabrique si on t'engageait pour remplacer ton père le temps qu'il guérisse. Pourquoi ne tiens-tu plus ta parole? Moi, j'ai envie de te garder. Allez, tu réfléchis trop, prends une petite pause et fume un peu, ça va te détendre, dit-il en entrant de force un cigare dans la bouche de Mathias. Il l'alluma, puis ferma la mâchoire du garçon pour l'obliger à avaler ce qu'il inhalait: Quand j'étais plus jeune, je faisais fumer les grenouilles pour les faire exploser. C'est dommage qu'on ne puisse pas en faire autant avec vous, ricana-t-il en relâchant enfin la mâchoire de Mathias, qui ne put se retenir de vomir sur le plancher qu'il venait de nettoyer.

— Qu'avez… Qu'avez-vous contre nous, à la fin? Ce n'est… Ce n'est pas parce que quelques Canadien français vous ont peut-être déjà fait du tort dans le passé que nous sommes tous comme eux, expliqua-t-il difficilement en s'essuyant la bouche avec sa manche. Il toussa.

— C'est là que tu te trompes. Je vous ai suffisamment côtoyés pour me rendre compte que vous êtes tous les mêmes. Un peuple ingrat, hypocrite, bête et abruti, qui n'est qu'une erreur de parcours et qui n'aurait jamais dû exister. D'ici quelques décennies, vos descendants oublieront tout de vous. Ils seront des citoyens américains qui se seront mélangés à la masse et le monde continuera de tourner. Vois comme tu appartiens à un peuple insignifiant et sans intérêt! Tous les efforts que vous faites pour survivre ne sont que des illusions! À quoi sert de continuer votre lutte quand vous savez qu'elle est perdue d'avance? Tout le monde vous hait, à part, bien sûr, ceux qui font de l'argent sur votre dos.

— Vous croyez que les Italiens sont mieux? Vous êtes des catholiques, vous aussi! Les *WASP* vous détestent autant que nous! Et puis, si vous avez pris la peine de traverser l'océan pour vous établir aux États-Unis, ce n'est certainement pas parce que votre pays était mieux que le Canada, comme vous semblez le prétendre! argumenta Mathias, qui ne pouvait plus longtemps retenir sa frustration. Sans le savoir, il venait de toucher une corde très sensible chez son contremaître en mentionnant son passé et ses origines.

Il n'en fallait pas plus à Dominico pour s'attaquer physique-ment à Mathias. Il lui mit d'abord le visage dans son propre vomi pour l'écœurer, puis plongea sa tête dans l'eau chaude du seau, qui avait à peine eu le temps de tiédir.

— Crois-tu que c'était sincèrement le choix de mon père d'immigrer ici? Il y a des lustres que j'ai renoncé à ma foi ca-tholique et que je suis devenu américain à part entière! Ne me parle plus jamais sur ce ton! Je suis ton contremaître! Tu me dois respect et obéissance! Contente-toi d'être mes bras, je vais m'occuper d'être ta tête! *Capiche?* postillonna-t-il, alors que Mathias protégeait son visage endolori et rougi par la chaleur.

— Oui, *signor* Moretti…

— Maintenant que je suis parvenu à devenir contremaître, crois-tu que je vais me priver de me venger de ce que j'ai dû subir à cause de vous? On m'a volé mon enfance, moi! C'est pourquoi je déteste les sales mioches dans ton genre qui ont tout cuit dans le bec. Attends d'être contremaître à ton tour pour pouvoir en faire autant!

— Oui, *signor* Moretti, se contenta de répéter Mathias.

— Au fait, avant que je ne parte, j'ai remarqué que tu avais laissé une grosse tache là, dit-il en pointant le plancher avec sa botte. Mathias s'approcha pour mieux voir.

— Pardonnez-moi, *signor* Moretti, mais je ne vois rien, dit-il, le nez frôlant presque le plancher.

— Tu es aveugle ou quoi? Elle est très grosse et juste vis-à-vis ton nez! dit-il alors que le garçon approchait son visage encore plus près du sol.

Sans avertissement, Dominico lui donna un violent coup de pied au visage.

— Je parlais de toi! C'est toi, la tache, ici! Je veux que ce plancher brille, tu m'entends! Tu y travailleras toute la nuit s'il le faut, mais je veux que ce soit parfait pour mon retour, demain matin! Bonsoir! dit-il sèchement, en quittant l'endroit d'un pas militaire, le laissant seul dans la bâtisse. Enfin, il croyait être seul…

Le garçon continua donc son travail malgré ses nombreuses douleurs. Il tremblait. Il ne savait pas s'il ressentait de la colère ou de la tristesse. Il reniflait, mais aucune larme ne voulait couler. Seul le coassement de son nouvel ami lui donnait un peu de courage.

— Papa… Tu me manques tellement… Guéris vite, je t'en prie, ne pouvait-il s'empêcher de murmurer.

Sur ces mots, il s'effondra tant la fatigue avait empiété sur sa volonté. Lorsqu'il rouvrit les yeux, il s'aperçut avec horreur que le soleil était tout juste en train de se coucher; il devait être aux alentours de 21 heures.

— Oh non! Je me suis assoupi! Qu'est-ce que je vais faire, je ne finirai jamais à temps! paniqua-t-il, jusqu'à ce qu'il s'aperçoive que tout resplendissait de propreté comme si quelqu'un avait nettoyé à sa place.

Il toucha ensuite son front et s'aperçut qu'on lui avait posé un bandage humide autour de sa tête pour apaiser les boursouflures qu'avait causé l'eau chaude.

— Qui a pu bien faire ça? s'étonna-t-il, en observant tout autour de lui. Ça ne peut quand même pas être toi… À moins que… Non, c'est impossible, se secoua Mathias, en fixant sa grenouille d'un air sceptique.

Il avait vraiment l'impression qu'un ange était venu lui donner un coup de main pendant son sommeil. Soudain, il aperçut sur le sol quelques longs cheveux roux, trahissant peut-être le passage de quelqu'un. Est-ce qu'ils appartenaient à ce mystérieux ange gardien? Mathias voulait absolument le démasquer. Si quelqu'un avait véritablement eu la gentillesse de lui venir en aide, cela signifiait qu'il avait au moins un allié parmi ses bourreaux…

CHAPITRE VIII

Dernier jour d'école

Mathias présenta son nouveau compagnon à Stanislas, qui l'adopta avec grand plaisir bien qu'il crut y reconnaître un autre signe de la solitude que devait éprouver son pauvre frère pour se lier d'amitié avec une telle bestiole. Il la traitait avec tant d'affection et de délicatesse qu'on aurait pu croire qu'il avait perdu la boule. Pour faire plaisir à Mathias, Stanislas lui dénicha un vieux bocal de verre qu'il avait trouvé parmi des déchets et y versa de l'eau pour faire une « maison » à sa grenouille. Puis, les garçons s'étaient longuement creusé les méninges pour lui trouver un nom. Mathias proposa d'abord Louis pour Louis Cyr, son héros, mais c'est finalement Stanislas qui remporta la faveur en proposant Saint-Laurent, en hommage au fleuve qui les avait élevés.

Depuis l'arrivée de Saint-Laurent dans sa vie, Mathias avait retrouvé son sourire. Il avait enfin un ami à qui se confier, qui ne risquait pas de le juger et encore moins de répéter ses confidences à d'autres. Il y avait cependant autre chose qui contribuait à sa nouvelle gaieté : cet ange gardien qui volait à son secours dans l'ombre chaque fois qu'il en avait besoin. Cet inconnu avait encore frappé à de nombreuses reprises : lorsque Dominico avait confisqué son déjeuner, un morceau de pain s'était retrouvé sur le bord de la fenêtre où il avait l'habitude de manger. Quand on l'avait injustement accusé du bris d'une machine, celle-ci était réparée comme par magie le lendemain, et lorsque des employés lui avaient volé sa bourse, il avait retrouvé 65 cents sur le plancher. Il essaya de repérer tous les ouvriers roux de la fabrique, mais jusque-là, aucun d'eux ne pouvait correspondre à son ange : ils étaient trop mesquins à son égard.

***

Pendant ce temps, à l'école, depuis la discussion qu'avaient eue Stanislas et Rosine, les deux enfants s'étaient rapprochés. Grâce à la précieuse aide de Stanislas, Rosine avait fait beaucoup de progrès. Ses résultats scolaires avaient grimpé, lui permettant de passer en quatrième année. En outre, les autres élèves n'osaient même plus l'embêter de peur de se mettre à dos Stanislas, devenu la coqueluche de l'école au grand complet. Hormis Violette, la plupart des élèves invitèrent la fillette à se joindre à leurs jeux et à leurs activités. Même sœur Marie-Madeleine n'était plus la même institutrice rude et sévère à son endroit.

Les cheveux de Rosine avaient suffisamment repoussé pour qu'elle se coiffe de courtes nattes qui se balançaient de chaque côté de sa tête. Elle semblait si radieuse et si bien dans sa peau que l'on oubliait l'œil au beurre noir que lui avait fait son père lors de sa dernière beuverie.

Chaque fin d'après-midi, après les cours, Stanislas et Rosine s'installaient sous un grand érable pour apprendre leurs leçons et faire leurs devoirs. Ce petit moment qu'ils partageaient était surtout prétexte à discuter de tout et de rien. Rosine adorait que Stanislas lui parle de son village natal. Contrairement à lui, la fillette était née aux États-Unis et avait vécu toute son existence à Lowell. Elle n'avait donc jamais vu l'océan, ni le fleuve Saint-Laurent et encore moins le rocher Percé qui semblait être la huitième merveille du monde à en croire les propos du blondinet. Rosine rêvait du jour où elle pourrait visiter la terre de ses ancêtres. En attendant, elle fermait les yeux et s'imaginait naviguer sur La *Sirène Bleue* avec Stanislas pour capitaine. Les histoires de son passé étaient si bien décrites qu'elle avait l'impression de pouvoir humer les brises de la mer, d'entendre le chant des baleines murmurer son nom et de voir les vagues s'échouer tranquillement sur les rives.

La voyant aussi réceptive à ses propos, Stanislas ne put s'empêcher de lui parler de Cétacia, bien qu'il ait lui-même interdit à son frère d'en parler à qui que ce soit. Par contre, pour s'absoudre de son acte, il lui raconta qu'il s'agissait d'un conte qu'il était en train de composer dans ses temps libres. Il lui montra les croquis qu'Herman Melville avait faits de Cétacia. Il commença par les nombreux dessins de cétacés. Il lui montra ensuite quelques paysages féériques du royaume. Les dessins du palais royal situé au centre de cette cité marine émerveillaient Rosine : il y avait trois grandes tourelles qui semblaient entourées d'un immense jardin d'anémones.

— Il est si beau… On dirait qu'il a été bâti en cristal. Ce serait merveilleux si Cétacia existait vraiment ! Ce royaume m'a l'air paisible… Je me l'imagine bien, dans ma tête… Tous ces dauphins qui valsent joyeusement dans l'eau et ces enfants bélugas qui jouent dans des champs de fleurs avec les poissons… Un véritable paradis sous-marin, sans les maux et les souffrances que notre monde connaît. Tu crois que si je pouvais respirer sous l'eau, le prince des cétacés m'accepterait dans son royaume ? Ça semble tellement mieux que sur la terre ferme, rêvassait-elle en griffonnant sur son ardoise avec une craie.

— Bien sûr qu'il t'accepterait ! Il enverrait à la surface de l'eau Le Caudal exprès pour t'emmener !

— Le Caudal ? Qu'est-ce que c'est ?

— C'est un vaisseau gigantesque qui permet de faire la navette entre le fond de l'océan et la terre ferme. Il a la forme d'une queue de baleine, d'où il tire son nom, et il fonctionne à la vapeur. Il est mille fois plus rapide que les trains que nous connaissons ! La distance séparant nos deux mondes est beaucoup trop grande pour être couverte à la nage, même pour un cétacé. C'est grâce au Caudal qu'ils ont pu nous visiter dans le passé. Les cétacés auraient même réussi à atteindre la Lune avec ce vaisseau et à coloniser d'autres planètes ! C'est un véritable bijou de technologie ! Malheureusement, depuis que les cétacés possèdent des poumons, ce vaisseau est inopérant. Il doit être quelque part sous l'eau, rouillé et couvert de mousse.

— J'espère, au nom de son peuple, que le Messie arrivera à retrouver les fameuses branchies un jour. C'est tellement triste ce qui est arrivé aux cétacés. Ça doit être horrible de ne pas avoir de chez soi et d'être obligé d'errer perpétuellement dans ce vaste océan… C'est un peu comme nous, les Canadiens français de Lowell, nous n'avons plus de pays à nous, et Dieu sait comme cela est pénible de n'être jamais chez soi nulle part… Continue de me parler de Cétacia, s'il te plaît… soupira-t-elle en fermant les yeux.

Stanislas ouvrit donc le petit journal de bord et commença à lui lire une page au hasard.

La Grande Baleine Bleue veillait sur son peuple comme s'il s'agissait de ses propres enfants. Tous ses sujets étaient plus importants que ne l'était sa propre vie. Jamais elle n'aurait accepté que l'un d'entre eux souffre ou soit malheureux. De toute façon, était-il possible de l'être à Cétacia ? Véritable utopie aux yeux des hommes, elle est pourtant la manifestation la plus parfaite de l'Éden qu'ont connu Adam et Ève. La misère n'existait point dans ce monde qui vivait au rythme des marées. Qu'il fut né narval ou épaulard, aucun cétacé ne se considérait supérieur à l'autre. Ils s'entraidaient et travaillaient ensemble comme des frères.

Selon les Taïpis, nous avons encore beaucoup à apprendre d'eux. Ils nous ont peut-être légué leur savoir, mais nous sommes bien loin de les égaler. Si seulement la soif de domination ne leur était pas montée à la tête lorsqu'ils ont joué les missionnaires... Nous aurions pu profiter de sa prospérité. Hélas! les cétacés ne sont pas à l'abri du vice qui se cache même dans l'âme la plus pure et la plus parfaite de ce monde...

Physiologiquement, les cétacés diffèrent beaucoup de nous. Par exemple, ils n'utilisent pas la parole pour communiquer entre eux, mais plutôt des ultrasons, appelés aussi écholocations, comme s'ils pouvaient arriver à lire et à émettre des pensées. Ils utilisent également ces écholocations comme sonar afin de se repérer dans le vaste océan.

Stanislas interrompit sa lecture lorsqu'il s'aperçut que Rosine s'était assoupie. L'ardoise qu'elle tenait entre les mains glissa dans l'herbe. Le garçon la ramassa et il s'aperçut qu'elle l'avait dessiné, lui, avec une couronne sur la tête.

— Lorsque tu me parles avec tant de tendresse du prince des cétacés, je ne peux m'empêcher de penser qu'il te ressemble. Je ne peux m'imaginer un autre visage que celui-là. Vraiment désolée, j'étais trop gênée de te le montrer, murmura-t-elle en ouvrant les yeux doucement.

— Rosine...

— Tu sais, je ne te remercierai jamais assez de m'avoir sauvé la vie. Tu m'as empêchée de faire une grosse bêtise. Je n'aurais jamais pu voir ce si bel océan dans tes yeux et je n'aurais jamais pu entendre ces belles histoires que tu me racontes à propos de Cétacia. Je crois qu'elles ont fait pousser la première rose du rosier que tu as planté dans mon cœur. Tu m'excuseras d'être aussi brusque, mais il faut que je te le dise... Je crois que je... balbutia-t-elle, les larmes aux yeux.

Stanislas sentait qu'elle allait lui avouer sa flamme. Avant qu'elle n'ouvre la bouche, il lui coupa la parole.

— N'en dis pas plus. Je t'aime aussi Rosine, mais…

— Mais quoi?

— Je suis désolé, Rosine, mais ça nous serait impossible, même si j'éprouve des sentiments pour toi…

— Que racontes-tu?

— Lorsque je suis arrivé à Lowell, quand j'étais plus jeune, j'ai fait une terrible erreur en croyant bien faire. Cependant, aujourd'hui, je le regrette, car je m'aperçois que je ne pourrai sans doute jamais savoir ce qu'est l'amour ni même savoir ce qu'est être amoureux… Il paraît que c'est merveilleux… Il n'y a qu'à te regarder pour le constater, dit-il tristement.

— Quelle est donc cette erreur? Je pourrais t'aider à la réparer?!

— Je ne peux pas en parler, mais dis-toi que mon cœur était prisonnier dans une cage de fer. C'est tout ce que je peux te révéler pour le moment. Je t'en prie, Rosine, pardonne-moi…

— Tu aimes mieux Violette, c'est ça? C'est elle qui possède la clé pouvant ouvrir cette cage? soupçonna-t-elle, fuyant son regard.

— Non, Rosine, je ne pourrais pas aimer Violette non plus. Peu importe qui j'aimerais, je risquerais de l'entraîner en enfer avec moi. Je sais que c'est difficile à saisir, mais s'il te plaît, regarde-moi dans les yeux. Tu trouveras le véritable jardinier qui prendra soin de ton rosier! Je n'étais que le vent qui a soufflé la graine jusqu'à ton cœur.

— Comme une simple brise de passage, alors… énonça-t-elle en se calmant.

— Peu importe où tu es, le vent souffle. Il est toujours présent, même si tu ne le vois pas. C'est ainsi pour moi, Rosine. Je serai ton bras droit pour toujours. Ne laisse pas ton cœur te tromper. Les sentiments que tu éprouves pour moi ne me sont pas destinés. Tu le trouveras, ce jardinier, tu peux en être sûre!

Et je t'aiderai à le trouver! promit-il en lui tendant la main pour l'aider à se relever.

— Nous serons amis pour toujours, tu me le promets? demanda Rosine en lui tendant la main, s'efforçant de sourire.

— Pour toujours…

— Et tu me promets de continuer à me faire voyager à Cétacia?

— Bien sûr! Autant que tu voudras. N'oublie pas que c'est moi l'héritier de ce royaume, après tout! dit-il en lui faisant un petit clin d'œil. Il essuya de son doigt quelques larmes qui avaient coulé sur les joues de la fillette. Il lui fit ensuite une petite accolade en guise d'au revoir. Ce qu'il ne savait pas, c'est que Violette les espionnait un peu plus loin. Folle de rage d'avoir appris qu'elle n'aurait aucune chance avec Stanislas, elle décida de s'approcher de Rosine, une fois le garçon parti.

— Ce cher Stanislas, un véritable ange cornu celui-là. Tu ne crois pas? Il sait séduire et s'attirer les faveurs avec les belles paroles pleines de mensonges dont il se sert pour manipuler les gens. Il ne faut pas se laisser charmer par lui… C'est un démon dans un corps d'ange, insinua Violette.

— Violette!? s'exclama Rosine, surprise.

— Ne t'inquiète pas, je ne suis pas ici pour t'embêter. Je sais que nos relations n'ont jamais été très bonnes, mais je me suis aperçu, en t'écoutant parler tout à l'heure, que nous ne sommes pas si différentes que ça. C'est pourquoi je suis venue m'excuser pour les méchancetés que j'ai pu te faire dans le passé. Je voudrais sincèrement recommencer sur de nouvelles bases avec toi.

— Oh non, tu as écouté notre conversation… dit Rosine, mal à l'aise.

— Il n'y a pas de honte à avoir, tu sais. Quelle fille de la classe n'a pas eu le béguin pour lui? Tu sais, j'assistais même à la parade de la Saint-Jean-Baptiste simplement pour le voir lorsque j'étais plus jeune, alors que je ne le connaissais pas encore. Hélas! c'est souffrant de s'apercevoir que celui que l'on aimait depuis tant d'années n'est rien d'autre qu'un briseur de cœurs. Tu es simplement tombée dans son piège, comme nous toutes, d'ailleurs. Nous sommes sur le même bateau, soupira-t-elle avec une fausse tristesse.

À ces mots, Rosine ne put s'empêcher de verser à nouveau quelques larmes qu'elle essayait de retenir.

— Tiens, prends mon mouchoir, je te le donne. Je sais comment tu dois te sentir, ma pauvre amie. Nous sommes toutes passées par-là. Il mériterait à son tour de devenir le souffre-douleur de la classe, comme tu l'as été durant toutes ces années. Avec ce que j'ai découvert à son sujet hier, tu peux être sûre et certaine que sa popularité va dégringoler aussi rapidement qu'elle a monté. Fais-moi confiance !

***

Le lendemain matin, lorsque Stanislas se rendit à l'école, quelque chose d'inhabituel se produisit. Alors qu'il saluait les autres élèves comme il avait coutume de le faire, on l'ignorait ou on le dévisageait. Lorsqu'il pénétra dans la classe, on lui fit intentionnellement un croc-en-jambe. Il se rendit compte que quelque chose clochait lorsqu'il aperçut Violette en compagnie de Rosine. Rosine n'osa même pas le regarder, alors que Violette invitait la jeune fille à venir s'asseoir à côté d'elle, laissant Stanislas seul à son pupitre. Il regardait leur nouvelle amitié d'un air confus. Violette semblait apprécier la compagnie de Rosine et celle-ci riait de bon cœur de ses blagues. Comment le courant avait-il pu passer aussi bien entre elles en si peu de temps ? Il se dit que Rosine devait sans doute être manipulée par Violette. Il ne voyait pas d'autre explication.

À la fin des cours, qui lui avaient semblés interminables tant cette journée d'école avait été désagréable, tout le monde continuait de faire comme s'il n'existait pas, si ce n'était que pour le bousculer à l'occasion. Lorsqu'il aperçut Rosine, enfin seule un moment, près de l'érable où ils avaient l'habitude d'étudier ensemble, il se dirigea vers elle, mais la jeune fille tourna honteusement la tête.

— Désolée, je ne peux pas te parler, dit-elle, mal à l'aise.

— Mais qu'est-ce qui se passe? On dirait que tout le monde m'en veut et je ne sais même pas pourquoi! Ai-je fait quelque chose de mal?

— Hé toi! Tu vas arrêter de la harceler, à la fin? Tu lui as assez fait de peine comme ça! Quoique ça ne me surprenne pas que toute cette cruauté vienne d'une âme damnée comme la tienne, s'exclama Violette en s'approchant du gamin.

— Une âme damnée?

— Ne fais pas le malin! Mon père m'a raconté le terrible secret qui t'entoure! J'ai mis toute la classe au courant ce matin et nous sommes unanimes pour dire que tu es vraiment dégoûtant... N'est-ce pas, Rosine? dit-elle en lui posant une main sur l'épaule, mais Rosine préférait ne rien répondre et regardait le sol.

Soudain Stanislas fut encerclé par quelques élèves du groupe, comme si on s'apprêtait à le battre.

— Allez Stanislas, nous voulons l'entendre officiellement de ta bouche, à moins que tu n'en n'aies pas le courage, affirma Violette en croisant les bras, alors que les autres élèves l'encourageaient cruellement en se tapant dans les mains.

Stanislas ne savait vraiment pas quoi répondre. Le père de Violette aurait-il été au courant du meurtre du nouveau-né? Si oui, devrait-il aller en prison? Un tas d'idées traversaient son esprit, il ne savait pas qu'il s'agissait d'un autre secret auquel la jeune fille faisait allusion.

— Eh bien! tu en mets du temps à répondre! Je vais te rafraîchir la mémoire, alors. Il paraît que tu n'es pas baptisé! Est-ce vrai?

— Oui, c'est vrai, répondit-t-il franchement, en la regardant dans les yeux. Tout le monde s'exclama d'un air sidéré. Ils avaient tous entendu de leurs parents à quel point il était grave de ne pas être baptisé.

— Alors, c'est bien vrai, Stanislas? Ce n'était pas seulement une rumeur que l'on racontait? C'est donc toi qui risque de te retrouver dans les limbes… dit tristement Rosine.

— C'est compliqué, Rosine… Si tu me laissais le temps et le courage de tout t'expliquer…

— Elle n'a pas le temps d'écouter tes sornettes! Tu es une âme impure! Les mots qui sortent de ta bouche ne sont que des parjures! Tu n'es qu'un traître et un charlatan. Tu es la honte de tous les Canadiens français! Déjà que tu es né en dehors du mariage, à ce qu'il paraît… Pas étonnant que le diable se soit incarné en toi et que tu aies réussi à nous envoûter!

— Fils du péché! Fils du péché! Fils du péché! s'exclamèrent les autres élèves en lui lançant des cailloux.

Stanislas était sûr qu'ils ne devaient même pas connaître la signification de ce qu'ils étaient en train de crier. Violette avait sans doute dû entrer toutes ces idées dans leur tête, c'est pourquoi il n'en voulait pas nécessairement à ses camarades qui baignaient tout simplement dans l'ignorance.

— Selon mon papa, ton père n'est qu'un pécheur! Normal que la tuberculose l'ait aussi durement touché! Dieu sait reconnaître ses infidèles! Heureusement pour nous, il brûlera en enfer très bientôt! affirma Violette d'un ton hautain.

Stanislas s'approcha alors d'elle et la gifla au visage.

— Sache, Violette, que le baptême n'est pas le seul moyen d'effacer les péchés d'un mortel. Celui qui n'a pas reçu le baptême par l'eau peut quand même être baptisé s'il meurt en martyr. C'est ce que l'on appelle le baptême de sang… C'est ce baptême que je recevrai avant ma mort et qui me donnera ma place au côté de Dieu, alors que tu brûleras dans le feu de ta malveillance que même l'eau que tu as reçue à ton baptême ne pourra éteindre. L'eau du baptême n'est qu'un symbole… Il n'est pas garant d'une place au paradis. Il ne te sauvera pas si tu continues de nourrir les racines de ton cœur avec cette eau salie de haine, articula-t-il fermement avant de retourner sur ses pas, la tête haute.

Le silence se fit. Personne n'osait dire ou faire quoi que ce soit tant ils étaient impressionnés par le sang-froid de leur camarade qui ne semblait aucunement ébranlé par les événements. Même Violette, complètement muette, se contentait de tenir sa joue rougie en l'observant s'éloigner de quelques pas.

— J'espère que tu t'entendras très bien avec Violette, Rosine. C'est une bonne personne, bien qu'elle soit trop fière pour le montrer. Elle se sent si seule dans son cœur. Occupe-toi bien de son rosier, il est sec. C'est à ton tour de souffler les semences de rose dans le cœur des autres, prononça Stanislas avec un sourire à l'adresse de son amie, avant de rebrousser chemin jusqu'à l'école.

Malgré toute la colère que Violette éprouvait contre le garçon, elle ne put s'empêcher d'être touchée par ses mots remplis de bonté à son égard. Même chose pour Rosine. Cette dernière sortit son chapelet qui semblait avoir déjà perdu un peu de son odeur de rose. Elle commençait à regretter d'avoir tourné le dos à ce prince qui lui avait si gentiment ouvert les portes de son nouveau bonheur.

***

Stanislas avait pris sa décision : il allait quitter l'école pour de bon. De toute façon, cela faisait déjà quelques semaines qu'il y pensait, tant il avait l'impression de perdre son temps. La seule chose qui le retenait encore, c'était Rosine. Maintenant qu'il la savait bien intégrée au sein de son groupe, elle n'aurait plus besoin de lui. Il sentait son devoir accompli. Elle volait maintenant de ses propres ailes, et c'est ce qui lui importait. Sœur Marie-Madeleine aperçut le gamin en train de ramasser ses livres. Elle décida de lui adresser gentiment la parole :

— Vous avez décidé de nous quitter ?

— Oui, ma sœur. J'espère que ça ne vous ennuie pas trop, mais mon père est très malade et je me sentirais beaucoup plus utile de travailler que de rester ici à étudier.

— Pardonnez-moi, mais je crois qu'il y a plutôt un autre motif derrière cette décision. Vous vous ennuyez, n'est-ce pas ?

— Il y a peut-être un peu de ça aussi, avoua-t-il, mal à l'aise.

— Je m'en doutais. Vous êtes bien le petit protégé du curé Cadoret. Il m'a parlé de vous, l'autre jour, et il m'a dit que vous étiez un véritable prodige. C'est également lui qui m'a appris que vous aviez un frère jumeau un peu plus dissipé. J'ai alors compris pourquoi, lorsque vous êtes venu vous inscrire, vous avez eu des résultats aussi lamentables. Il était venu à votre place, n'est-ce pas ?

— Quoi ? Il a fait ça ? Alors, lui…

— Ne lui en veuillez pas. Ce fut déjà un beau geste de sa part de venir vous inscrire. Il croyait sans doute bien faire.

— Vous savez, le curé Cadoret en met un peu trop sur mon cas. Je ne suis pas aussi intelligent qu'il le prétend.

— Votre modestie ne fait que me prouver le contraire. Vous possédez véritablement des aptitudes très supérieures à la moyenne. Je ne l'explique pas, mais Dieu semble vous avoir doté d'un incroyable don. Cela se voit rien qu'à votre regard si mature. On dit que chaque siècle a possédé son génie qui a su changer la face du monde pour le bien de l'humanité. Je crois que vous êtes destiné à faire de grandes choses lorsque vous serez adulte. Je ne sais pas encore quoi, mais ce seront de grandes choses… Il paraît que vous rêvez d'aller à Harvard lorsque vous serez un peu plus vieux ? Croyez-moi, lorsque vous serez prêt, elle vous accueillera à bras ouverts. Ce n'est pas une question d'argent, mais de talent. Je suis sûr que le curé Cadoret serait même prêt à financer vos études quand le temps sera venu…

— Allons, ma sœur, vous me gênez…

— Il n'y a pas de quoi vous sentir gêné. J'ai vu les livres que vous lisiez, les thèses que vous écriviez, les équations complexes de physique que vous composiez, que moi-même je n'arrivais pas à saisir. Vous n'êtes pas à votre place ici, c'est l'évidence même.

— Je ne regrette cependant pas d'être venu. J'ai pu aider une de mes camarades à s'épanouir. Mon séjour parmi vous n'aura pas été en vain.

— Je suis contente de l'apprendre. Je suis fière d'avoir eu la chance d'enseigner à un enfant au cœur si pur et qui pourrait devenir un très grand savant un jour. Que Dieu te protège, dit-elle avant qu'il quitte la classe pour de bon.

Ces bons commentaires de la part de sœur Marie-Madeleine l'avaient complètement enivré de joie, lui faisant oublier les mauvaises expériences dont il venait tout juste d'être témoin. Seulement, il réalisa que cette « intelligence exceptionnelle » qu'on lui attribuait n'était peut-être due qu'à son côté cétacé, puisqu'il savait que cette race possédait une intelligence supérieure à l'homme. Si c'était le cas, il n'avait aucun mérite à être considéré comme un « génie » parmi les hommes, puisque cela n'était imputable qu'à sa génétique. Il se dit que chez les cétacés, il aurait sans doute une intelligence se situant dans la moyenne, voire peut-être inférieure en raison de son côté humain…

Cette pensée le ramena à la réalité. Le temps était venu d'entamer la prochaine épreuve…

CHAPITRE IX

Homicide involontaire

À cause du cadavre du nourrisson qui pourrissait, l'odeur nauséabonde empestant l'air de leur miteux hangar avait commencé à déranger les locataires de leur ancien logement. Voyant qu'ils allaient sans aucun doute attirer des soupçons, les jumeaux tentèrent de masquer l'odeur de décomposition. Mathias avait eu l'idée de voler – ou d'emprunter, comme il préférait le prétendre – de l'encens à l'église Saint-Jean-Baptiste. La stratégie fonctionnait si bien que les locataires se demandèrent pourquoi une si bonne odeur émanait du hangar depuis un certain temps.

Il devait être environ 19 heures quand Mathias, jouant de l'harmonica en observant Saint-Laurent patauger dans son bocal d'eau, déclara soudainement :

— Tu vois, je te l'avais bien dit que je finirais par devenir un bon joueur d'harmonica ! Je ne fais presque plus de fausses notes, tu as remarqué ? Papa serait fier de moi s'il voyait mes progrès... Mais je n'ose pas lui rendre visite... Si tu savais comme je suis rongé par la honte. Je ne veux pas qu'il sache que je ne suis pas capable de joindre les deux bouts, alors que je lui avais promis de prendre soin de notre famille pendant son absence. Ça l'inquièterait inutilement. J'espère de tout mon cœur que sa santé s'améliore. Stan me l'aurait dit si son état s'était aggravé, non ? Il se rend à l'hospice toutes les semaines, de toute façon. Il ne faut pas s'inquiéter, dit-il en caressant la tête du batracien avec son doigt.

Soudain, il entendit des bruits de pas s'approcher du hangar. Pendant un moment, il eut peur qu'il s'agisse de monsieur Smith (il était en retard de quatre jours pour payer son loyer), mais il fut rassuré lorsqu'il aperçut son frère.

— Ouf! Tu m'as fait peur! Où étais-tu donc passé? C'est rare que tu ne sois pas là lorsque je rentre du boulot!

— Je réfléchissais au moyen de défier la vertu de la tempérance, comme nous l'avait demandé maman. À mon avis, c'est la vertu la plus facile à combattre et c'est pourquoi nous devrions commencer avec celle-ci. Ce soir même, d'ailleurs! Nous n'avons pas de temps à perdre si nous voulons que papa obtienne ses branchies, dit-il en soulevant la couverture pour observer la poitrine ouverte du nouveau-né, dont les poumons prenaient, selon lui, la forme de branchies.

Mathias tourna la tête d'un air dégoûté et honteux. Stanislas était le seul qui avait encore le courage de jeter un œil de temps à autre sur ce cadavre pourrissant.

— Et comment comptons-nous nous y prendre?

— Par un cambriolage.

— Un cambriolage? Comme dévaliser une maison?

— Exactement !

— Je suppose que tu sais déjà laquelle?

— En fait, une de mes camarades de classe m'a déjà confié qu'elle possédait chez elle un trésor. J'ai pensé que c'est ce que nous pourrions dérober, puisqu'elle disait qu'elle y tenait comme à la prunelle de ses yeux. Plus l'individu tient à l'objet que nous lui enlèverons et plus encore notre quête du pardon pourra se réaliser. Je ne crois pas que voler quelques clous dans une quincaillerie aurait la même portée.

— Un trésor? Génial! Elle t'a dit ce que c'était? Une bague? Une chaîne ou un bracelet en or, peut-être? demanda Mathias, excité, qui semblait croire que trésor rimait avec bijou.

— Non, elle ne m'a rien dit. Tout ce que je sais, c'est où le trésor est caché.

— Tant pis, nous aurons la surprise, alors !

Le soleil se couchait, lorsque Stanislas entraîna Mathias jusqu'à l'Épicerie Larocque, le commerce tenu par les parents de Violette.

— Ta camarade de classe, c'est donc la fille du propriétaire de l'épicerie ? Trop fort ! Tu vas la demander en mariage, j'espère. Moi je ne raterais pas cette occasion si j'étais toi ! dit-il, étonné, mettant ses deux mains sur la vitrine et se léchant les babines lorsqu'il aperçut les différents produits alimentaires qu'il pouvait entrevoir malgré la noirceur.

— Baisse le ton, Mathias ! Les Larocque vivent juste au-dessus de leur commerce. Ils pourraient t'entendre ! Alors tais-toi si tu ne veux pas que l'opération rate ! lui chuchota-t-il en mettant son index devant sa bouche.

Stanislas commença à tâter les planches de bardeaux qui recouvraient la maison. Comme Violette le lui avait déjà confié, ses parents cachaient un double de la clé dans le trou d'une planche pourrie située sur le côté gauche de la maison. Lorsqu'il repéra cette fameuse planche, il saisit la clé et s'empressa de déverrouiller délicatement la porte en espérant de tout cœur qu'elle ne grince pas trop. Une fois entrés dans l'épicerie, les jumeaux se rendirent sur la pointe des pieds vers l'arrière-boutique, située juste derrière le comptoir. Un escalier menait à l'étage, à l'appartement des Larocque.

— Mathias, reste ici pour faire le guet. Nous avons moins de risque de nous faire pincer si j'y vais seul.

— D'accord, je t'attends ici. Essaie de faire vite et sois prudent, dit Mathias en s'asseyant sur le comptoir.

Stanislas monta donc seul. Une fois là-haut, il tourna la poignée de la porte et regarda si la voie était libre. Au moment où il s'apprêtait à entrer, il vit quatre jeunes enfants courir dans le corridor en criant et en ricanant, comme s'ils se sauvaient de quelqu'un. Il se dépêcha de refermer la porte, mais la garda entrouverte pour observer la scène.

— Bruno! Claude! Christophe! Jacqueline! Revenez immédiatement ici! Il se fait tard, il y a des heures que vous devriez être au lit. Pourquoi chaque soir c'est la même histoire? Il faut toujours que je me batte avec vous pour me faire obéir! cria Violette, qui tentait de les poursuivre en robe de nuit. Elle portait dans le creux d'un bras un bébé et tenait de l'autre la main d'une fillette d'environ trois ans.

— Pourquoi nous t'écouterions? Tu n'es même pas notre vraie sœur! Enfin, juste à moitié! cria un des gamins en se retournant pour lui faire une grimace.

— C'est vrai! Et en plus, tu sens le vieux fumier! cria l'autre gamin en tapant dans la main de son frère.

— Vieux fumier! Vieux fumier! répéta pour sa part la gamine qui suivait ses frères.

— Je vais vous en faire, un fumier! Attendez un peu que je vous rattrape, bande de petits morveux! hurla Violette en partant à la poursuite des gamins qui se dirigèrent vers la cuisine en criant des « maman » à répétition. Violette laissa derrière elle la fillette dont elle avait la charge.

Stanislas fut surpris de voir Violette entourée d'autant de jeunes enfants. Il la croyait enfant unique, car malgré tout le bavardage et les confidences qu'elle lui faisait, jamais elle n'avait mentionné leur existence.

— Violette! Petite écervelée! Qu'est-ce qui te prend de courir avec un poupon dans les bras? Oh! mon pauvre bébé, comme tu as dû avoir peur! hurla une femme, en arrachant le nourrisson des bras de la jeune fille.

Les autres enfants se collèrent vivement contre la femme plutôt mince et osseuse, ce qui ajoutait à son air sévère.

— Tu vois maman, comme elle est vilaine! Elle ne cesse de nous faire du mal et de nous crier des bêtises! dit l'un des gamins en faisant mine de pleurer.

— C'est faux, belle-maman! Je m'apprêtais à les coucher dans leurs chambres, mais ils ne cessent de faire des caprices et puis...

— Tais-toi! C'est toi qui t'y prends mal!

— Elle n'arrête pas de nous dire que la maison est infestée de bandits et qu'ils vont venir nous égorger durant la nuit si nous fermons l'œil. Ne te demande pas pourquoi nous avons peur de nous endormir par la suite, affirma l'autre gamin en faisant semblant de trembloter.

— Hé! je n'ai jamais dit ça! Ils inventent à mesure! se défendit Violette, mais sa belle-mère avait déjà son idée.

— C'est bien ce que je pensais! Tu n'es vraiment qu'une bonne à rien! Menteuse et manipulatrice, en plus! Ton père te gâte beaucoup trop! Si ce n'était que de moi, tu peux être sûre que...

— Allons, allons... Pourquoi tant de discorde en cette belle soirée? coupa un homme à l'air bonasse, en arrivant dans la cuisine.

— C'est ta crétine de fille! Elle ne cesse de nous apporter des ennuis! Je t'avais dit de l'envoyer dans ce pensionnat, à Manchester! rouspéta la femme.

— Allons, Francine, calme-toi, tu dramatises toujours tout. Notre petite Violette n'est pas si terrible que ça. Je crois plutôt qu'il y a eu un léger malentendu, c'est tout, dit gentiment l'homme, comme s'il voulait détendre l'atmosphère.

Il mit une main sur l'épaule de Violette et lui caressa la joue. Il poursuivit, avant que la femme ne riposte:

— Je dois faire un peu de comptabilité avant demain matin. Ça te dirait de me donner un coup de main? Il paraît que tu es douée en mathématiques. C'est ce que ton institutrice m'a dit, en tout cas, dit l'homme en lui faisant un clin d'œil complice.

— Oui, bien sûr, papa, dit-elle, soulagée, en l'accompagnant vers la pièce voisine, qui semblait être un petit bureau.

— Il faut toujours qu'il prenne parti pour sa fille! dit la femme en serrant les dents.

Violette et son père repassèrent devant la porte où Stanislas était caché.

— Pourquoi faut-il toujours qu'elle soit sur mon dos ? Je la déteste ! Tu n'aurais jamais dû te remarier ! dit Violette en faisant la moue.

— Allons Violette, ma chérie, ne dis pas de telles sottises. Francine ne remplacera jamais ta maman, mais tu verras… Un jour, tu l'aimeras autant que je l'aime. Laissez-vous le temps de vous apprivoiser, c'est tout, la rassura-t-il.

Dès que le père et sa fille eurent traversé le corridor, Stanislas s'empressa de sortir de sa cachette pour se rendre discrètement vers la chambre de Violette. Pour ce faire, il devait passer devant la cuisine sans que le reste de la famille s'en aperçoive. Il prit une grande inspiration et traversa le corridor, vif comme l'éclair.

— Un bandit ! J'ai vu un bandit, maman ! s'exclama la fillette de trois ans en pointant du doigt la chambre de Violette.

— Allons, mon cœur, il n'y a pas de bandits ! Violette raconte n'importe quoi. Il ne faut pas que ses sottises entrent dans ta tête, dit la femme en prenant sa fille effrayée dans ses bras.

Rassuré, Stanislas commença sa fouille dans la chambre de Violette. Il s'agenouilla devant le dernier tiroir de sa table de chevet où elle était censée cacher son fameux « trésor ». Il y trouva un charmant petit coffret. Quand il l'ouvrit, celui-ci laissa échapper une petite mélodie. Une petite ballerine tournoyait sur elle-même, en suivant le rythme au milieu de cette petite boîte. Il remarqua qu'à l'intérieur de celle-ci était dissimulée une photo montrant Violette âgée d'environ quatre ans, accompagnée de son père et d'une femme qui devait sans doute être sa mère naturelle, tant elle lui ressemblait. Tous trois formaient une famille heureuse. Ainsi, Violette avait, tout comme lui, perdu sa mère à un jeune âge et, de toute évidence, elle entretenait des relations très tendues avec une belle-mère. En la voyant agir aussi sévèrement avec sa belle-fille, il comprit d'où venait la frustration qui rendait Violette exécrable en classe. Violette semblait s'occuper beaucoup de ses six demi-frères et demi-sœurs, mais ceux-ci ne la remerciaient de son temps et de ses efforts que par l'ingratitude. En classe, elle prenait plaisir à jouer les petites pestes, mais la réalité était bien différente chez elle. Il se dit qu'au moins, son père semblait quelqu'un de bien et qu'elle avait beaucoup de chance de l'avoir encore auprès d'elle. Monsieur Larocque lui faisait même penser à son père. Il inspirait la même bonté, le même optimisme et le même sens de la justice que le sien.

Maintenant qu'il savait en quoi consistait ce « trésor » il se sentit un peu mal de le lui dérober, mais il se dit que sa mission avait malheureusement priorité sur la compassion qu'il éprouvait pour la jeune fille…

***

Dans l'épicerie, Mathias attendait patiemment le retour de son frère. Il bâillait parfois bruyamment en appuyant son visage dans sa main. Soudain, son ventre se mit à gargouiller.

C'est trop cruel! Je suis entouré de toute cette bonne nourriture et je meurs de faim, se dit-il à lui-même, en observant les différentes étagères. *Si je prenais quelque chose? Juste un petit morceau de rien! Je suis sûr que l'on ne s'apercevrait de rien. Et puis, tant qu'à défier la tempérance, autant en profiter! Un vol reste un vol après tout, tant qu'à y être…* Il sortit de la poche de son veston un paquet d'allumettes, puis alimenta une lampe à l'huile qui traînait sur le comptoir, afin d'observer le « menu » qui lui était offert. Il commença à s'empiffrer de fromage pour ensuite avaler goulûment des petits fruits. Il vola ensuite quelques friandises rangées dans des bocaux et s'empressa de les cacher dans ses poches. Sans le vouloir, il donna un coup d'épaule à la lampe… qui se renversa sur le plancher de bois… qui s'enflamma.

— Oh non! Qu'est-ce que j'ai fait! Qu'est-ce que j'ai fait! répéta-t-il paniqué, à voix basse.

Mathias essaya d'étouffer le feu avec son veston, mais l'huile alimentait le feu qui s'étendit rapidement. Mathias resta impuissant et paralysé par la peur devant l'incendie qu'il avait provoqué.

***

Tout à fait inconscient de l'incendie naissant au rez-de-chaussée, Stanislas écoutait, dans le corridor, la conversation qu'entretenait monsieur Larocque avec sa fille.

— Alors, comment va le petit Demers? J'ai hâte que tu l'invites chez nous et que tu nous le présentes! Depuis le temps que tu nous en parles! dit monsieur Larocque en déplaçant les boules de son abaque.

— Ne me parle plus de lui, s'il te plaît, papa! De toute façon, il a abandonné l'école, à ce qu'il paraît! Je ne le reverrai sans doute pas de sitôt et c'est tant mieux!

— Vraiment? Comme c'est dommage…

— Pourquoi «dommage»? C'est toi-même qui m'as dit que son père ne l'avait jamais baptisé et qu'il était né hors du mariage! C'est bien ce que le curé t'avais confié, non? Tu ne devrais pas t'inquiéter de son sort! S'il n'est pas baptisé, c'est comme s'il n'avait pas d'âme, donc il n'existe pas!

— Tu ne l'as pas répété à tes camarades, j'espère?

— Euh… non… non… non, dit-elle, mal à l'aise et hésitante.

— Tant mieux! Ce n'est pas le genre de secret qu'il est plaisant de crier sur les toits. Ce pauvre enfant n'y est pour rien, après tout! Tu sais, j'admire énormément son père, bien que la plupart des gens du quartier le trouvent un peu étrange. Joseph Demers est le seul d'entre nous qui a vraiment compris le sens de la vie. Il vit au jour le jour sans penser ni au Ciel ni à l'Enfer.

Malgré tous les regards noirs, il continue de vivre selon ses convictions, aussi libre qu'un oiseau. Nous sommes notre seul maître dans ce monde. Le paradis, c'est à nous de le bâtir petit à petit et chaque jour dans notre cœur. C'est ça le secret du bonheur. Joseph l'a parfaitement compris. Si tu savais, ma petite Violette, comme je l'envie. Si j'avais un peu plus de cran, c'est ce que je ferais moi aussi. Hélas ! mon commerce me tient en otage. Je ne peux me permettre d'avoir ma clientèle à dos ! J'espère que tu auras plus de courage que ton père et que, toi, tu arriveras à vivre ainsi. C'est ce que je souhaite pour ton bonheur… N'oublie jamais que la religion n'est là souvent que pour nous mettre des chaînes aux pieds et nous empêcher de voler jusqu'au paradis…

Les propos tenus par monsieur Larocque émurent Stanislas. Avant de faire sa connaissance, il s'attendait à ce que cet homme ait un cœur de pierre et soit du genre à mépriser la classe ouvrière, mais il n'en était rien. Jamais il n'aurait pu se douter que le père de Violette était quelqu'un d'aussi gentil et compatissant. Il fut même surpris d'apprendre, lorsqu'il entendit monsieur Larocque discuter de l'inventaire, que l'épicerie donnait parfois des surplus aux plus démunis. En plus, il accommodait les habitants du quartier qui lui devaient du crédit.

— Papa, tu ne trouves pas que ça sent le brûlé ? dit soudainement Violette en reniflant l'air.

— Tu trouves aussi ? Je pensais que je me faisais des idées ! Reste ici, je vais aller jeter un coup d'œil en bas. J'ai fait des tests avec le poêle cet après-midi lorsque je le réparais. J'ai peut-être juste oublié de l'éteindre. Rien de bien grave, dit-il en sortant de la pièce.

Stanislas se dépêcha de retourner se cacher dans la chambre de Violette. Monsieur Larocque ouvrit la porte qui menait à l'escalier. Une épaisse fumée grisâtre l'assaillit. Il toussa et descendit l'escalier en tenant son avant-bras devant son visage. S'apercevant que l'homme toussait à cause de la fumée, Stanislas décida de le suivre discrètement pendant qu'il descendait. La fumée formait un véritable mur opaque et il y avait peu de risque que l'homme le remarque. La seule chose qui réussissait à transpercer cet écran était la vive lueur des flammes.

— Seigneur! ne put s'empêcher de hurler monsieur Larocque en s'essuyant le front. Il constata l'ampleur des dégâts.

— Papa! Qu'est-ce qui se passe?! demanda Violette du haut des escaliers, en toussant.

— Violette, ne t'approche pas! Vite, va avertir Francine et les enfants, et sortez par l'escalier extérieur! Il y a le feu! tenta de crier l'épicier.

— L'épicerie est en feu! Au feu! Au feu! cria la jeune fille en précipitant vers la cuisine pour avertir le reste de sa famille.

À l'instant même, l'escalier grugé par le feu s'effondra. Stanislas s'en tira plutôt bien en s'égratignant uniquement le front lorsque, dans sa chute, sa tête percuta le coin du comptoir. Il avait toujours la boîte à musique en main. Monsieur Larocque eut beaucoup moins de chance, en atterrissant tête première au milieu des flammes. Stanislas, un peu sonné, releva la tête et vit l'homme complètement enveloppé de feu. Il hurlait. Stanislas voulut lui venir spontanément en aide avant qu'il ne soit trop tard, mais une poutre enflammée tomba entre eux, l'empêchant de s'en approcher. Soudain, il entendit le son d'un harmonica résonner un peu plus loin. Mathias essayait sans doute de le guider à travers cette fumée aveuglante. Il rampa en suivant la provenance du son. Il ferma les yeux et se dit qu'étant à demi cétacé, il possédait lui aussi cette espèce de sonar que tous les cétacés ont pour se diriger et se repérer dans l'eau, comme l'indiquait Herman Melville dans son journal. Il finit par trouver la sortie où Mathias l'attendait d'un air inquiet, l'harmonica à la bouche. Il était convaincu qu'il y était arrivé grâce à son sonar et il en remerciait le ciel.

— Stan! Te voilà enfin! J'ai tellement eu peur! Vite! Il faut partir d'ici! dit-il en l'aidant à se relever, puis en le traînant par la main pour l'amener à l'extérieur.

Certains habitants du quartier remarquèrent l'ampleur que prenait l'incendie et accoururent avec des seaux remplis d'eau, en hurlant vigoureusement des « au feu ! » afin d'exhorter d'autres personnes à venir le combattre le plus rapidement possible, en attendant l'arrivée des pompiers, avant qu'il ne s'étende aux autres logements environnants. Femmes et enfants, l'air terrifié, observaient la scène, à l'abri de leurs fenêtres.

— Mathias, il faut retourner à l'intérieur ! Monsieur Larocque est encore là ! Il faut le sauver ou sinon il va mourir ! paniquait Stanislas.

— Attends ! Tu es fou ! N'y va pas ! Tu as vu comme tu as eu du mal à sortir ?

— Je sais comment utiliser mon sonar, Mathias ! Je sais que je vais être capable de le retrouver et de le sortir de là ! Et toi aussi, tu le peux !

— Non, Stan ! Tu n'iras nulle part ! Je ne veux pas être responsable, en plus, de la mort de mon frère ! dit-il en le saisissant solidement par le poignet.

— Comment ? C'est donc toi qui…

Stanislas n'eut pas le temps de terminer sa phrase que l'enseigne indiquant « Épicerie Larocque » tomba à leurs pieds. Un homme leur fit signe de s'éloigner le plus rapidement possible, car la bâtisse risquait à tout moment de s'effondrer. Tout en s'éloignant, Stanislas observa la boîte à musique qu'il avait précieusement gardée entre ses mains. Il ne put ensuite s'empêcher de regarder l'incendie. Il prit la main tremblante de Mathias et tous deux observèrent la terrible conséquence de leurs actes. Un simple vol s'était transformé en véritable catastrophe : ils venaient de détruire à jamais la vie d'une famille…

CHAPITRE X
Le sourire de l'ange

— À ce qu'il paraît, l'Épicerie Larocque a pris en feu, il y a trois jours. Ce pauvre Hector Larocque… Il a été amené d'urgence à l'hospice, mais il était déjà trop tard pour lui. On dit que son visage était tellement brûlé par les flammes qu'il était impossible de le reconnaître. Je suis désolé pour sa femme et ses enfants, qu'il laisse derrière lui. D'après ce que j'ai entendu, leur commerce n'était pas assuré. Les temps vont être très durs pour cette famille détruite… Hélas ! nous ne pouvons que leur offrir notre empathie, affirma tristement Joseph à son fils, alors qu'il était toujours cloué à son lit.

Comme à chaque lundi et vendredi matin, Stanislas était allé rendre visite à son père. À son arrivée, les religieuses venaient de raser sa barbe hirsute, car elle était maintenant complètement tachée et collée par le sang qu'il crachait à l'occasion. Bien que Stanislas ne puisse pas l'entrevoir à cause du rideau, il l'imaginait ressembler à cette photo de lui qu'il avait retrouvé le jour de son anniversaire et qui l'avait tant fait sourire. Sa résistance exceptionnelle à la tuberculose impressionnait grandement l'équipe médicale qui ne lui donnait au départ qu'une à deux semaines à vivre, mais malgré tout sa santé n'était pas à son meilleur. Joseph avait beaucoup maigri à cause de la déshydratation et sa respiration était bruyante, comme si chacune de ses inspirations lui demandait un effort athlétique.

— L'une de ses filles était ma camarade de classe, c'est vraiment malheureux, en effet. J'espère qu'ils vont bientôt trouver la cause de cet incendie, ajouta-t-il, en baissant la tête.

— Selon *La Gazette du Petit Canada*, il y a une rumeur qui circule selon laquelle des *WASP* seraient à l'origine de l'incendie. Une épicerie est une cible parfaite puisque sa perte pénalise de nombreux habitants du quartier.

— Peut-être que ce n'est pas eux, non plus. Tant que nous n'avons pas de preuve, nous ne pouvons pas l'affirmer. Ce feu est peut-être tout simplement d'origine accidentelle…

— Les *WASP* ont mis le feu à une épicerie grecque, le mois passé, ça ne m'étonnerait pas du tout que ce soit eux les responsables. Bon sang ! Je ne sais pas pourquoi ils nous détestent tant et ne veulent pas nous reconnaître comme des Américains à part entière. Nous ne faisons rien de mal et nous participons activement au bien-être de l'économie du pays, mais ils continuent tout de même de nous causer des ennuis. Un jour, j'ai bien peur que tous ces braves immigrés – qu'ils provoquent à tort – finissent par se révolter. La haine ne fait qu'engendrer davantage de haine.

— C'est vrai, dit Stanislas, la tête basse, sachant très bien que les *WASP* n'y étaient absolument pour rien.

— Au fait, comment va Mathias, dis-moi ? Il n'est pas venu me rendre visite depuis le jour où il m'a annoncé qu'il avait obtenu un emploi, même s'il m'avait promis de venir me jouer de l'harmonica. J'ai l'impression que ça fait déjà des siècles. Je me fais beaucoup de souci pour lui. J'espère que tout se passe bien.

— Il va bien, ne t'inquiète pas. Tu lui manques beaucoup, tu sais, mais je crois que son horaire chargé l'empêche de venir. Il travaille très fort ! Si tu voyais comme il a pris de la maturité. Tu ne le reconnaîtrais plus ! Nous sommes bien loin du joueur de tour qu'il était, dit-il à son père pour le rassurer. Il jugea inutile d'inquiéter son père à propos des mauvais traitements dont son frère était victime.

— C'est justement ce que je craignais. Il n'y a rien de mal à être espiègle… Il n'avait pas à perdre son cœur d'enfant aussi brusquement. Dire que c'est de ma faute, ne put s'empêcher de dire tristement Joseph, comme s'il désapprouvait toujours sa décision.

***

Avant de se rendre à *Boott Cotton Mills,* Mathias était allé saluer la statue de la Sainte-Vierge devant l'église de Saint-Jean-Baptiste, comme il avait pris l'habitude de le faire chaque matin. Chaque fois que son regard croisait ses yeux doux, il sentait son cœur s'emplir d'assez de courage pour tenir bon durant toute la journée de labeur qui s'amorçait. Il avait également ajouté à son rituel un recueillement près des ruines de l'Épicerie Larocque. Il pouvait rester dix minutes planté devant celles-ci, sans bouger. La bâtisse s'était écroulée sous son propre poids et il ne restait parmi les cendres que quelques planches de bois, des meubles calcinés et même des boîtes de conserves noircies qui avaient miraculeusement survécu à la catastrophe. Heureusement, grâce à la collaboration des habitants du quartier, le feu avait été éteint avant qu'il ne s'étende aux maisons avoisinantes. Jamais il n'aurait cru que sa simple gourmandise puisse engendrer un si triste événement.

Je ne voulais pas que ça se produise mais mon estomac faisait si mal… Si je veux que mon frère mange à sa faim, je dois me priver de manger… La nourriture est si chère et monsieur Smith est si exigeant… Je n'ai pas pu résister à la tentation. Si Stan et moi sommes vraiment la même personne, pourquoi n'avons-nous pas qu'un seul estomac? Tout serait tellement plus simple… J'espère que mon acte d'intempérance me sera un jour pardonné. Je ne suis qu'un meurtrier, un voleur et un pyromane, pensa-t-il gravement, en se mettant en position de prière.

À son travail, tout s'était bien déroulé jusqu'à ce que l'horloge indique midi. Alors qu'il s'apprêtait à manger son repas, il aperçut un jeune garçon – qu'il reconnut comme étant l'un des amis ramoneurs de Pat – en train de pénétrer dans la bâtisse. Il se dit qu'il avait peut-être été engagé pour ramoner les cheminées de la fabrique, mais il n'en était rien. Celui-ci profitait du fait que la fabrique laissait ses portes ouvertes dans le but de rafraîchir la bâtisse, pour s'infiltrer à l'intérieur. Ni vu ni connu, il se faufila dans l'entrepôt et ressortit en vitesse avec trois longs rouleaux de tissus sous le bras. Mathias décida alors de partir à sa poursuite dans l'espoir d'arrêter le voleur. Cela lui permettrait de remonter dans l'estime de son contremaître.

— Hé! espèce de voleur! Je ne vais pas te laisser faire! Tu n'as rien à faire ici! Retourne à tes cheminées avec ton copain, le gros roux! cria Mathias à l'intention du garçon qui ne s'attendait pas à être surpris la main dans le sac et surtout pas par le souffre-douleur préféré de son ami Pat.

Le voyou n'eut même pas le temps de réagir, car le gamin le plaqua violemment contre le sol pour lui administrer des coups de poing au visage. Le garçon prit facilement le dessus et le frappa à son tour. Leur lutte se poursuivit jusqu'à l'extérieur dans la cour arrière où les autres enfants ouvriers les observèrent, l'air complètement éberlués par la bataille.

— Reprends-les, tes vieux chiffons, je m'en lave les mains! Tu as tout gâché, tu dois être content! dit le garçon, voyant qu'il avait attiré l'attention de trop de gens pour pouvoir se sortir incognito de cette affaire.

Le garçon lança les tissus dans une flaque d'eau, donna un dernier coup de pied dans le postérieur de Mathias, puis prit la poudre d'escampette.

— Qu'est-ce qui est arrivé encore? cria Dominico en arrivant sur les lieux de la bataille.

— *Signor* Moretti! Avez-vous vu? J'ai réussi à arrêter un voleur et à récupérer les rouleaux de tissu qu'il a tenté de dérober! dit-il fièrement, en secouant les rouleaux de tissu qui dégoulinaient d'eau brune.

— Ne dis pas n'importe quoi! C'est toi qui as tenté de voler ces rouleaux! C'est exactement le genre de connerie dont tu es capable, petit bon à rien! Regarde ce que tu as fait! Ces tissus ne servent plus à rien! Qui voudra les acheter maintenant qu'ils sont tout sales et détrempés? Que crois-tu que je vais dire à mon supérieur? Tu peux être sûr que je vais retenir la valeur de ces tissus sur ta paie!

— Hé! mais c'est faux! J'ai vraiment arrêté un voleur! Il y a eu plein de témoins, en plus! Demandez-leur vous-même! dit-il, offusqué d'être considéré comme le coupable.

Hélas! aucun des ouvriers présents ne le défendit. Même si Mathias insistait pour les faire parler, ceux-ci continuaient d'observer la scène en restant tout aussi muets que des carpes.

— J'en ai assez de tes mensonges, sale *bambino*! Viens avec moi! dit l'Italien en empoignant le gamin par les cheveux.

Le gamin se laissa traîner sur le sol en gémissant et en se tenant la tête, comme pour diminuer la douleur qui irradiait sur tout son crâne. Dominico l'emmena devant la grande bâtisse, tout près des grands moulins à eau qui fournissaient l'énergie nécessaire à la machinerie, puis il força le gamin à s'agenouiller devant lui.

— Ouvre grand la bouche et garde-la bien ouverte! Gare à toi si tu échappes ne serait-ce qu'une seule goutte, dit l'homme en détachant son pantalon.

L'homme commença alors à uriner sur le visage de Mathias. Il avait de l'urine partout: dans ses cheveux, sur son visage, dans ses yeux et même sur ses vêtements. Lorsqu'elle glissait dans sa bouche, il essaya courageusement de l'avaler malgré son aversion.

— Tu ne m'as pas écouté, morveux! Je t'avais dit de ne rien gaspiller! Baisse ton pantalon, maintenant! dit l'homme avec un sourire narquois.

Il sortit une allumette de sa poche et s'apprêta à lui brûler les organes génitaux.

— Pas ça, je vous en prie, *signor* Moretti! Je ferai tout ce que vous voudrez! supplia le gamin, complètement paniqué, lorsqu'il aperçut l'allumette s'approcher dangereusement de son entrejambe.

— Tu sauras enfin ce que les tiens m'ont fait subir. Tu sais ce que ça fait de savoir que tu n'auras jamais de descendant parce qu'on t'a rendu stérile par les flammes? C'est une douleur pire à supporter que celle que je m'apprête à t'infliger! Tu payeras pour ces Canadiens français qui ont maudit mon existence! Je veux t'entendre crier, comme j'ai hurlé et pleuré, il y a déjà 22 ans de cela, bavait-il, déchaîné.

Sentant la chaleur qui était synonyme de danger pour sa vie, Saint-Laurent, par instinct, sauta brusquement de la poche du veston de Mathias. Dominico sursauta en apercevant l'animal sortir à quelques centimètres de son visage. Il fut si surpris qu'il laissa échapper l'allumette sur le sol. Au moment où il s'apprêtait à la reprendre, la cloche annonçant que la pause-repas était terminée sonna.

— Compte-toi chanceux d'être sauvé par la cloche. Retourne à ton poste, et plus vite que ça! On remettra ça… acheva-t-il en martelant le sol d'un pas autoritaire.

— Oui, *signor* Moretti, dit Mathias, la tête basse, en lâchant un soupir de soulagement.

Le blondinet remonta son pantalon et essuya son visage tout collant du mieux qu'il le pouvait avec sa main. Il alla ensuite boire de l'eau dans la rivière pour enlever le goût de l'urine dans sa bouche et ramassa sa grenouille, qui semblait attendre patiemment qu'on la reprenne.

— Merci, vieux, tu m'as vraiment sauvé la vie…

Lorsque Mathias termina son quart de travail, il se hâta de quitter l'endroit avant que Dominico ne l'épingle. Il fut arrêté dans sa course lorsqu'il aperçut l'homme en train de fumer un cigare près de la porte de sortie, ce qui l'obligea à se cacher derrière une machine et à attendre patiemment qu'il s'en aille. Il aperçut une femme s'approcher du contremaître et lui remettre une pièce dans la main. Il était trop loin pour entendre ce qu'ils pouvaient se raconter, mais il vit Dominico partir et revenir avec les trois rouleaux de tissus abîmés qu'on l'accusait d'avoir volés. La femme inclina la tête en signe de remerciement, puis elle s'apprêta à quitter la fabrique, les rouleaux en main. Elle devait avoir une trentaine d'années. Elle arborait de longs cheveux roux, retenus en un épais chignon sur le dessus de la tête. En remarquant ses longs cheveux flamboyants, il fallut peu de temps à Mathias pour deviner que cette femme devait sans doute être son mystérieux ange gardien. En achetant ces tissus que nul n'aurait voulus, elle lui venait en aide pour empêcher que Dominico ne les déduisent sur sa paie. Bizarrement, il n'avait jamais remarqué cette femme jusqu'à ce jour. Il se dit qu'elle devait sans doute travailler comme tisserande – comme la plupart des femmes ouvrières engagées à *Boott Cotton Mills* –, sur un autre étage de la fabrique.

Fou de joie d'avoir enfin démasqué son ange gardien, il courut à sa rencontre, une fois la voie libérée.

— Madame! Madame! Madame! cria-t-il, mais la femme continuait sa route sans prendre garde à son appel.

Il continua de courir et finalement se planta juste devant elle.

— Madame, attendez, je vous en prie! J'ai à vous parler, dit Mathias en soufflant un peu.

La femme ne répondit rien et se contenta de lui sourire. C'était le plus beau sourire qu'il avait jamais vu depuis celui de la statue de la Sainte-Vierge qu'il aimait tant. Ses magnifiques yeux couleur charbon, si pétillants et chaleureux, lui rappelaient ceux de son père. La rouquine se baissa et caressa ses boucles blondes en le fixant tendrement. Il ne put s'empêcher de rougir.

— Madame, si vous saviez comme je vous suis reconnaissant ! Je ne sais pas comment je pourrai vous démontrer toute ma gratitude, pour tout ce que vous avez fait pour moi ces dernières semaines. Vous avez été un véritable ange gardien pour moi, et…

La femme lui coupa la parole en posant un doigt sur sa bouche, tout en continuant à lui sourire. Elle sortit ensuite un petit carnet de son tablier et commença à écrire quelque chose sous le regard étonné du gamin. Après quelques minutes, elle déchira la page et la lui remit entre les mains avant de le quitter.

— Hé ! attendez ! Je ne sais même pas lire… dit-il d'un air déçu en la regardant s'éloigner.

Mathias n'avait jamais eu aussi hâte de rentrer chez lui que ce soir. Une fois dans le hangar, il se dépêcha d'alerter Stanislas pour qu'il lui lise la lettre.

— Stan ! S'il te plaît ! Tu dois me lire ça, c'est urgent ! dit-il en accourant vers son frère.

— C'est bien la première fois que je te vois aussi excité en revenant de travailler ! dit Stanislas surpris, mais heureux pour son frère.

— Si tu veux que je le sois encore plus, alors lis-moi cette lettre, je t'en prie ! C'est tout ce que je te demande ! dit-il en lui remettant le papier.

— Bon d'accord, si tu insistes, dit Stanislas en prenant la lettre :

Bonjour à toi, mon petit,

Ainsi, tu as finalement réussi à me démasquer ? J'espère que tu ne m'en veux pas de m'être mêlée à tes histoires, mais je ne supporte pas de voir un enfant malheureux, peu importe son origine. J'aime apporter le sourire à ceux qui en ont besoin. En te voyant aussi heureux et enjoué malgré ton calvaire quotidien, je vois que j'ai bien accompli mon devoir. Sois tranquille, de là-haut, sur mon étage, je veillerai toujours sur toi. Tu ne seras jamais seul, même lorsque tu le croiras. Ne cherche pas à te venger de ceux qui t'offensent… Car ainsi tu tueras le peu d'enfance qui sommeille toujours en toi. Apaise l'orage dans ton cœur et ne deviens pas comme ces hommes qui t'entourent et qui te font du mal. Ils sont encore plus malheureux que tu ne l'es… Si je peux réussir à sauver, par mes inter-ventions, l'innocence ne serait-ce que d'un seul enfant, je sais que le monde s'en portera mieux.

Ne fais pas une affaire personnelle de ce que ton contremaître te fait subir. Il nous tient dans la peur et nous torture pour mieux se faire obéir. Si tu savais comme il est faible et vulnérable. Seulement, son titre lui sert de bouclier.

Pardonne-moi de ne pas pouvoir te répondre de vive voix, mais vois-tu, je suis sourde et muette depuis la naissance. Je ne communique qu'à l'aide de signes ou par écrit. Je ne voulais pas t'ignorer; je ne pouvais tout simplement pas te répondre.

Viens me retrouver demain midi au troisième étage, près de l'escalier. Il me fera plaisir de faire plus ample connaissance avec une petite grenouille qui deviendra, j'en suis sûre, un magnifique prince charmant, honnête, généreux et miséricordieux…

Angela

À la fin de la lecture, Stanislas ne put s'empêcher de ricaner poliment en se couvrant la bouche, ce qui enragea Mathias.

— Quoi?! Qu'est-ce qu'il y a de si drôle?!

— Eh bien! tu ne m'avais pas dit que tu t'étais fait une petite copine à la fabrique, insinua-t-il, tandis que Mathias rougissait.

— Ce n'est pas ma petite copine! Tu as tout faux! C'est mon ange gardien et rien de plus, et puis elle aurait l'âge d'être notre mère, je te signale! affirma-t-il en rougissant davantage.

— Ah oui, vraiment? renchérit Stanislas, en souriant pour l'agacer.

— Quoi qu'il en soit, je suis heureux de pouvoir coller un nom sur cet ange… Angela… C'est le plus beau prénom que j'aie jamais entendu, on dirait qu'il vient directement du paradis, de là où elle veillait sur moi, s'enthousiasma-t-il.

— Ça m'a plutôt l'air du prénom d'une femme irlandaise. Si c'est le cas, je suis un peu surpris qu'une Irlandaise soit aussi gentille avec un Canadien français.

— Oui, moi aussi je trouve ça bizarre! Rien que penser qu'elle est de la même ethnie que le gros *Fat* me donne des frissons dans le dos! Mais je me dis que, dû au fait qu'elle est sourde et muette, elle n'a peut-être jamais su que j'étais Canadien français, surtout que je ne travaille pratiquement qu'avec des Irlandais, dit-il en baissant la tête, en s'apercevant que son aide généreuse ne lui était peut-être pas destinée.

— Je ne crois pas, Mathias. Elle précise dans sa lettre qu'elle n'aime pas voir un enfant malheureux, peu importe son origine. Il ne faut pas généraliser la méchanceté à un seul peuple. Des gens bons, il y en partout et des mauvais aussi, malheureusement. Parce que notre peuple à quelques frictions avec les Irlandais, ne va pas croire qu'ils nous détestent nécessairement tous. Tu sais, la plupart du temps, nous détestons ceux qui nous ressemblent le plus et s'il y a un peuple qui nous ressemble, c'est bien eux!

— Mais ça m'embête un peu qu'elle soit sourde. Comment pourrai-je alors la remercier et lui dire à quel point j'apprécie son soutien? dit-il, déçu.

— Bonne question, dit Stanislas, en cherchant une idée.

— Je sais ! dit le gamin en se levant brusquement. Stan, apprends-moi à lire et à écrire ! C'est la seule solution !

— Comment ? lâcha Stanislas, complètement estomaqué par cette décision soudaine.

Jamais son frère n'aurait osé lui demander ce service auparavant. Stanislas le lui avait proposé à maintes reprises, mais le gamin faisait sans cesse la sourde oreille en lui répétant que ça ne lui servirait jamais à rien et que ça ne l'intéressait pas.

— Mais oui ! Depuis le temps que tu veux me le montrer ! Ça ne doit pas être trop difficile ! dit Mathias.

— Tu sembles très motivé, alors pourquoi pas ? Mais tu ne sauras pas écrire du jour au lendemain, Mathias. Il va falloir t'appliquer et être patient. Ne pense pas être capable de lire et écrire dès demain matin !

— Oh non ! ce n'est pas vrai ! Je ne savais pas que ça prenait autant de temps. Dans ce cas, j'ai quelque chose à te proposer.

— Quoi donc ?

— Est-ce que demain tu pourrais aller travailler à ma place ? Tu pourrais ainsi entamer une première correspondance par écrit avec Angela ?! S'il te plaît, dis oui, le supplia Mathias.

— Mathias ! Franchement ! Nous nous étions déjà dit de ne pas profiter de notre ressemblance pour faire ce genre d'enfantillage ! Ça ne fera que nous attirer des ennuis ! Tu t'es déjà irrespectueusement servi de mon apparence à tort et à travers, dit Stanislas, offusqué.

— Alors, ce serait justement l'occasion de te venger ! De mon côté, je pourrais en profiter pour prendre ta place à l'école, qu'est-ce que tu en dis ?

— Surtout pas ! se dépêcha-t-il de dire.

Il ne voulait pas que son frère sache qu'il avait abandonné l'école.

— Bon, d'accord, j'ai compris le message, je sais que tu dois sans doute avoir peur que je te fasse honte. Dans ce cas, je pourrais rester tranquillement ici à lire et à écrire, si tu commences à m'expliquer les règles de base ce soir ! Dis oui, je t'en prie ! Je serai un excellent élève !

— Bon, c'est d'accord, tu as gagné, mais juste pour une journée ! De toute façon, c'est vrai que ça pourrait être intéressant de voir ton cadre de vie, dit Stanislas, qui espérait enfin connaître la cause de ses lésions et de sa mauvaise humeur perpétuelle. Il se dit également que son frère méritait bien une journée de répit.

— Tu verras, mon travail est tout simple ! Mais, il y a quelques précautions à prendre… que je te dirai dès que tu m'auras expliqué l'alphabet !

— Entendu ! Viens t'installer ici, près de la chandelle. Sache d'abord que l'alphabet comporte vingt-six lettres et que…

Stanislas se chargea donc de démystifier quelques règles de base. Sœur Marie-Madeleine l'avait laissé enseigner l'alphabet à des plus jeunes. Il commençait à être plutôt doué pour jouer les professeurs. Il fut étonné de voir son frère aussi attentif et intéressé par ses explications. Quand la fatigue se fit sentir, Mathias prit le relais en lui expliquant son travail à la fabrique.

Les jumeaux étaient excités par la perspective de cette journée qui allait enfin rompe leur routine. Ils ne s'imaginaient pas à quel point elle allait les transformer à tout jamais…

CHAPITRE XI

Le secret de Stanislas

À l'aube, Mathias prit grand plaisir à habiller Stanislas comme s'il s'agissait d'une poupée.

— Allez, viens là que j'attache mon foulard à ton cou, dit le gamin en le serrant jusqu'à étouffer son frère.

— Ce foulard est ridicule, il va faire très chaud aujourd'hui ! Je ne suis pas pour porter ça toute la journée !

— Je t'interdis de l'enlever ! C'est papa qui me l'a donné. C'est mon porte-bonheur, donc si tu le perds, je t'étripe, compris ?

— Bon, bon, d'accord, j'y ferai attention, alors, se contenta de répondre Stanislas en le desserrant tout de même un peu.

Mathias dépeigna un peu son frère et il lui passa sa casquette.

— Voilà ! Tu es vraiment moi maintenant ! Hallucinant, j'ai l'impression de me regarder dans la glace. Tout compte fait, tu avais raison, cette casquette me donne vraiment un air niais ! Je crois que je vais cesser de la porter, ricana-t-il.

Le garçon incita son frère à imiter ses tics, ses manies et même sa façon de se tenir.

— Ah non ! Pas comme ça ! Tu as l'air idiot !

— J'ai l'air de toi, justement !

— La ferme ! C'est sérieux ! Je ne veux pas que tu me fasses honte à mon premier rendez-vous avec Angela !

— Crois-moi, ça ne peut pas être pire que si c'était toi qui y allais. Allez, je file ! Je ne voudrais pas être en retard à mon premier jour de travail. À ce soir, dit Stanislas.

À peine avait-il quitté le coin de sa rue, qu'il aperçut quatre garçons, ramoneurs sans doute à voir les balais-brosses qu'ils tenaient sur leurs épaules. Ces derniers regardaient fixement le toit d'une boulangerie d'un air inquiet. Ignorant que ces gamins étaient en fait les «ennemis» de Mathias, Stanislas alla à leur rencontre.

— Excusez-moi, qu'est-ce qui se passe? Vous semblez si inquiets! demanda-t-il en portant une main à son front, afin de mieux observer au-dessus de sa tête.

— C'est Pat! Il fait une crise! répondit l'un des garçons en fixant le toit des yeux.

— Une crise de quoi?

— D'épiphanie, je crois.

— D'épilepsie, imbécile! Une crise d'épilepsie! reprit l'un de ses camarades.

— Pat? Pat O'Donnell? dit Stanislas, surpris, en reconnaissant le garçon qui gesticulait sur le dos comme une carpe que l'on aurait privé d'eau.

— Oui, Pat O'Donnell! Petit têtard sans cervelle, de quel Pat croyais-tu qu'on parlait? Je ne sais vraiment pas ce qui lui a pris de devenir ramoneur, alors qu'il savait qu'il était sujet à ce genre de mal. Je savais bien qu'il aurait une crise un jour ou l'autre pendant qu'il ramonerait une cheminée. C'était inévitable, expliqua l'un des garçons en croisant les bras.

— Et pourquoi vous n'allez pas l'aider? Tu vois bien que ton camarade risque de glisser du toit et de se tuer! demanda Stanislas, étonné de leur indifférence.

— Tu veux rire? C'est du «Grand Mal» qu'il est atteint, pas d'un rhume! On raconte que les gens qui en souffrent sont en fait possédés d'un démon. Si sa chute permet de tuer ce démon, ça sera déjà ça! C'est déjà bien que nous l'ayons accepté dans la bande malgré le fait qu'il est possédé!

— Il n'est pas possédé, ce sont des superstitions de grands-mères! Tous les médecins vous le diront! Vous n'allez quand même pas le laisser mourir? dit Stanislas, outré par cette apparente indifférence.

— Bon, moi j'ai une cheminée à ramoner, affirma l'un des garçons.

— Oui, moi aussi, se dépêcha de dire un autre en emboîtant le pas.

Bon, eh bien! si ses propres amis sont trop sans-cœur pour lui venir en aide alors qu'il en a vraiment besoin, moi je vais aller le secourir! se dit Stanislas en pénétrant rapidement dans la boulangerie sous le regard surpris tant des ramoneurs que du boulanger.

Prestement, Stanislas se faufila dans la cheminée et commença à escalader celle-ci grâce à l'échelle que Pat y avait laissée. Il eut toutefois beaucoup de difficultés à avancer à cause de la suie qui glissait sur ses yeux et le faisait tousser, mais la seule pensée que la vie d'une personne était menacée le faisait redoubler d'efforts. Il fut soulagé lorsqu'il aperçut enfin la lumière qui provenait de l'extrémité de la cheminée. Une fois sur le toit, il rejoignit prudemment Pat. Le garçon faisait pitié à voir: ses yeux semblaient vides de vie, il avait de l'écume autour de la bouche et il se tortillait de gauche à droite. En fait, on aurait vraiment dit qu'il était possédé. Il n'était donc pas étonnant de croire que les gens atteints d'épilepsie l'étaient!

Tout en essayant de ne pas perdre l'équilibre, il tenta de rejoindre Pat qui était dangereusement près de la corniche de la toiture. Stanislas mit en pratique ce qu'il avait déjà lu dans un livre de médecine. En cas de crise d'épilepsie, il n'y avait qu'une seule chose à faire: immobiliser la victime pour l'empêcher de se blesser, et attendre que la crise passe d'elle-même. À cause de sa petite taille, le blondinet eut beaucoup de mal à y arriver puisque Pat risquait à tout moment de l'entraîner avec lui dans sa chute. De peine et de misère, il desserra son pantalon et détacha sa chemise pour lui permettre de mieux respirer, puis il mit la paume de sa main sous sa nuque. Quand il vit que la crise était sur le point de se terminer, il tourna le corps en position latérale pour empêcher que le malade ne s'étouffe avec sa propre salive. Quelques secondes plus tard, Pat se redressa en regardant tout autour de lui d'un air confus.

— Qu'est-ce qui s'est passé? dit-il en se frottant la tête.

— Tu as eu une crise d'épilepsie. Attends encore quelques minutes avant de te relever. Ensuite, va boire un peu d'eau, la crise a dû sans doute te déshydrater. Demande à un de tes camarades de te raccompagner chez toi, au cas où tu en referais une autre en chemin. On dit qu'une crise en présage souvent une autre. Je te conseille de prendre congé aujourd'hui. Je te laisse, je vais être retard. Sois plus prudent la prochaine fois, dit Stanislas qui semblait se prendre pour un médecin avec tous ces conseils.

— Mathias? C'est toi qui m'a… dit Pat bouche bée, en observant son rival descendre dans la cheminée.

***

Mis à part le fait que Dominico avait fortement réprimandé Stanislas parce qu'il avait laissé des traces de suie un peu partout sur son passage (le gamin n'avait pas remarqué qu'il s'était sali de la tête aux pieds lors de son passage dans la cheminée), sa première matinée de travail se passa plutôt bien. Parce qu'il avait assimilé avec brio la brève formation que lui avait donnée son frère la veille, il performait comme s'il avait travaillé toute sa vie dans cette fabrique. En fait, il se débrouillait si bien que Dominico était même frustré d'être incapable de lui trouver des failles et tenir un motif pour l'engueuler ou même le battre. Par ailleurs, les collègues de travail qui avaient l'habitude de mener la vie dure à Mathias se sentaient mystérieusement attirés par le garçon. Comme lorsque Stanislas était devenu le garçon le plus populaire de son école, son charisme continuait de charmer.

Certains Irlandais essayèrent tout de même de l'agacer comme à l'habitude, mais ils ne comprenaient pas pourquoi leur victime préférée réagissait aujourd'hui avec tant de maturité, de tact et de sérénité. Par son seul sourire, il les faisait se sentir idiots et ridicules.

Durant toute la matinée, Stanislas fut tout de même témoin de l'incroyable sadisme et intransigeance dont faisait preuve le contremaître qu'on avait attitré à son frère. À voir comment il traitait ses ouvriers et surtout ceux en bas âge, il n'eut pas de mal à comprendre d'où provenait toute l'agressivité qui envahissait Mathias. Prendre conscience que l'on traitait son frère comme un esclave l'enrageait. Une idée commença alors à germer dans son esprit : et s'il profitait de sa venue ici pour venger son frère de cet homme qui l'avait tant malmené ? Par cette vengeance, il allait en même temps pouvoir combattre pour la vertu de la justice et donc se rapprocher un peu plus de son but. Il se donna la journée pour réfléchir à un plan afin de rayer une fois pour toutes de ce monde cet homme qui trouvait son plaisir dans la souffrance des autres et qui ne méritait pas le souffle de vie reçu de Dieu.

Au moment de la pause-repas, Stanislas se rendit dans la salle de tissage où l'« ange gardien » de Mathias était censé l'attendre. Il aperçut, appuyée contre l'un des métiers à tisser, une jeune femme rousse qui lui souriait dès que son regard croisait le sien. C'était sans doute cette fameuse Angela. Tout comme Mathias, il fut immédiatement charmé par cette jeune femme qui semblait si bonne et généreuse. Celle-ci l'invita à venir s'asseoir près d'elle et partagea son déjeuner avec lui. La femme et l'enfant échangèrent ensuite plusieurs mots sur des morceaux de papier afin de faire plus ample connaissance. Elle lui écrivit quelques mots résumant son histoire. C'est ainsi qu'il apprit qu'elle avait quitté l'Irlande avec ses parents et ses trois frères afin de fuir la Grande Famine qui sévissait alors dans son pays natal. Ses parents étaient morts durant la traversée de l'Atlantique, de sorte que ses frères aînés et elle-même furent pris en charge par un orphelinat dès leur arrivée en Amérique. C'est d'ailleurs là qu'elle avait rencontré son mari, qui lui donna son unique fils avant l'accident de travail qui devait lui coûté la vie. Depuis, elle ne s'était pas remariée et vivait seule avec son enfant.

La lecture d'un récit aussi authentique amena Stanislas à vendre la mèche, lui avouant par écrit qu'il avait pris la place de son frère jumeau. Il lui expliqua que celui-ci était analphabète et qu'il voulait absolument faire bonne impression devant elle. Angela ne put s'empêcher de sourire encore plus tendrement en apprenant cette révélation. Elle s'empressa de prendre un morceau de papier et de lui laisser ces derniers mots en guise d'au revoir :

> *J'attendais patiemment que tu te décides à me le dire toi-même. Dès que je t'ai vu, j'ai tout de suite senti que tu n'étais pas la petite grenouille que j'ai connue. Étant sourde et muette, mes yeux ont appris à remarquer les petits détails qui peuvent échapper au commun des mortels. Malgré votre ressemblance physique, votre regard ne reflète aucunement la même âme. Au plaisir de te revoir, Stanislas, et ne t'inquiète pas pour Mathias, je veillerai sur ton frère comme l'aurait fait votre mère. Je ressens l'affection que tu lui portes. Tu sais, j'aurais tant voulu que mon fils connaisse lui aussi la beauté de l'amour fraternel...*

***

Pendant ce temps l'autre frère répétait :

— A comme arbre, B comme baleine, C comme cachalot, D comme dauphin... Qu'est-ce qui venait ensuite ? C'était E ou G ? À moins que ce ne soit F ? Qu'est-ce que tu en penses toi, Saint-Laurent ? Tu t'en souviens ? demanda Mathias à sa grenouille qui, pour toute réponse, se contenta d'avaler le moustique que, d'un coup de langue, elle venait d'attraper.

Durant tout l'avant-midi, Mathias s'était mis sérieusement à l'étude de l'alphabet. Stanislas lui avait imagé chacune des lettres en associant un mot qui commençait par cette lettre et il lui avait également appris à différencier les voyelles des consonnes. Mathias s'exerçait également à recopier les lettres de l'alphabet et il savait maintenant écrire son prénom.

J'ai mal à la tête ! Il me semble que toutes les lettres de l'alphabet se ressemblent ! Je n'y distingue aucune différence. Je me demande comment Stan arrive à y déchiffrer quelque chose. Parlant de lui, je serais curieux de voir comment il se débrouille à ma place en ce moment. Il est passé midi, il a sans doute déjà rencontré Angela. Mon Dieu, j'espère qu'il m'a fait une bonne réputation ! J'ai tellement hâte à demain pour la revoir. Quelle femme formidable, quand même ! Si tous les Irlandais pouvaient en prendre de la graine. On est loin du gros Fat, ça c'est sûr ! rêvassait-il.

Mathias remarqua que Stanislas avait laissé ses vêtements habituels dans un tas, dans un coin du hangar.

— Je crois que ça me donne une idée ! Pourquoi ne pas profiter de l'apparence de Stanislas pour aller jouer un bon tour au vieux Cadoret ? Je n'ai jamais osé le faire, mais je me dis qu'il doit croire que je travaille aujourd'hui, donc il ne se doutera sans doute pas une seconde que c'est moi ! Je pourrais peut-être recevoir de la monnaie de sa part comme il avait l'habitude d'en donner à Stan, son petit chouchou, après que nous ayons servi la messe. Tu vas voir, Saint-Laurent, nous allons bien rigoler, ricana Mathias en enfilant les vêtements de son frère.

Mathias se rendit d'un bon pas au presbytère de l'église Saint-Jean-Baptiste. Il lui fallait toute sa concentration pour ne pas pouffer de rire en anticipant la blague qu'il s'apprêtait à faire. Lorsque, enfin, il se calma, il prit une grande respiration et frappa à la porte du presbytère. Le curé Cadoret s'empressa d'ouvrir la porte. Il fut surpris d'apercevoir son ex-servant de messe sur son palier.

— Bon après-midi, monsieur le curé, salua Mathias en essayant de prendre le timbre de voix timide et aigu de son frère.

— Stanislas ? Que me vaut donc ta visite ?

— Oh, vous savez, monsieur le curé, il n'y a pas de raison particulière. J'avais envie de vous voir, question de prendre un peu de vos nouvelles, c'est tout !

— Entre donc quelques minutes, mon garçon. Effectivement, je crois que nous avons beaucoup à nous dire depuis notre dernière rencontre. Cela fait un petit bout de temps, s'exclama-t-il sur un ton étonnamment jovial.

— Merci beaucoup, monsieur le curé, dit Mathias en pénétrant timidement dans la demeure.

Le curé invita alors le jeune garçon à entrer dans le bureau où étaient entreposées les archives de la paroisse.

— Ici, nous serons tranquilles. Ce garnement de Mathias ne te malmène pas trop, j'espère ? Si j'étais toi, je me dissocierais le plus rapidement possible de lui. Ce petit vaurien n'ira jamais nulle part et je crains qu'il n'ait une mauvaise influence sur toi. Lorsque ton père s'éteindra, ce qui est de toute façon malheureusement inévitable, je te ferai adopter par une très bonne famille, tu peux en être sûr. Qui ne te voudrait pas comme fils ? N'aie crainte de devenir orphelin, rassura le curé Cadoret en s'approchant un peu plus de Mathias.

— C'est gentil, monsieur le curé, mais n'en mettez pas trop sur le dos de mon frère, quand même, suggéra-t-il calmement, en essayant de ne pas trop paraître insulté.

— C'est triste que Dieu t'ait attribué ce frère jumeau. Il te semble impossible de pouvoir le détester. Vous êtes inséparables... comme si vous étiez nés avec un seul cœur. Un véritable parasite, dans son cas. Je savais que si je voulais te garder auprès de moi, il fallait que je prenne Mathias également, sinon tu n'aurais pas voulu être mon servant de messe. N'ai-je pas raison? Sois honnête, Stanislas, le salaire de ton frère est-il suffisant pour subvenir à vos besoins? insista l'homme en commençant à lui caresser les cheveux, ce qui mit le blondinet quelque peu mal à l'aise.

— Euh, oui, bien sûr, monsieur le curé. Nous ne manquons de rien, je vous assure, répondit Mathias en rougissant.

— En es-tu sûr? Tu ne sembles pas très convaincu. Tu sais que tu peux me demander n'importe quoi... Tu sais que je suis prêt à exaucer toutes tes demandes. Sœur Marie-Madeleine m'a appris avec regret que tu avais décidé d'abandonner sa classe. Ce n'est pas parce que vous aviez besoin de rapporter un autre salaire, j'espère?

— Abandonné l'école? Ah bon? Non... Non... Ce n'est pas ça, enfin je crois, dit Mathias plutôt embêté d'apprendre cette nouvelle.

— Tu n'avais pas à faire ça. Je serais même prêt à payer tes études supérieures, le moment venu... Allez, détends-toi un peu, nous trouverons une solution à tes problèmes financiers un peu plus tard, mais pour l'instant, passons à notre petite activité préférée.

Le curé se fit plus entreprenant.

— Enlève ta chemise, lui dit-il, afin que je puisse admirer la beauté de ton petit corps!

Mathias ne savait pas comment réagir à cette demande. En fait, il ne comprenait pas ce qui arrivait. Le souffle entrecoupé, le curé abaissa alors les mains vers le cou et la poitrine du garçon.

— Voyons donc, tu joues au timide, laisse-moi t'aider, dit le curé en lui déboutonnant sa chemise avec dextérité et en laissant choir celle-ci sur le sol.

— Ce que tu es beau. Tourne-toi afin que je vois ton dos.

Mathias, plus par gêne que par obéissance, s'exécuta.

— Mais, mon petit, tu as pris un peu de muscles depuis la dernière fois. Voyons voir, si ç'a été la même chose un peu plus bas, dit-il, haletant, en baissant le pantalon du gamin.

Mathias était complètement sidéré. Pourquoi le prêtre l'avait-il déshabillé ? Se retournant, il vit le curé laisser tomber sa soutane sur le sol, les yeux exorbités, la bouche ouverte, qui lui murmura :

— Viens, mon petit, laisse ton curé commettre son petit péché. Toi, tu n'as pas idée comme tu es chanceux. Je vais toujours me souvenir comme tu étais angoissé par le fait de ne pas avoir été baptisé comme les autres enfants. Rappelle-toi de ce que je t'avais dit pour te rassurer : « Tant que tu n'es pas baptisé, tes péchés ne comptent pas. » Comme Dieu ne te reconnaît pas encore comme l'un de ses enfants, nous pouvons en profiter pour passer ensemble ces petits moments intimes que nous aimons tant tous les deux… Tu ne peux donc pas avoir de remords. Quant à moi, pour ma pénitence, je devrai comme à l'habitude te donner la monnaie que j'ai conservée de la dernière quête dominicale.

C'était donc à cela que Stanislas s'adonnait lorsqu'il était seul avec le curé Cadoret ? De quoi s'agissait-il exactement ? Son esprit était si confus qu'il ne savait comment réagir, de sorte qu'il se sentit comme paralysé.

Le vieil homme retourna alors le corps du garçon et l'appuya contre le bureau. Mathias voulut réagir et se dégager, mais il était trop tard. Il sentit alors le poids du curé s'écrasant sur lui et comme un objet très dur qui opérait un mouvement de va-et-vient au creux de ses reins. Sans trop savoir combien de temps durerait ce manège, il entendit presque aussitôt le cri du curé et, au même moment, un liquide poisseux se répandit le long de ses jambes.

— Tu sais comme j'aime ça… mais il n'y a pas que moi qui dois profiter de ce plaisir. Il m'est important de te satisfaire comme je le peux. Je me souviens encore de la première fois que je t'ai vu dans le quartier. Dès que mon regard s'est porté sur toi, j'ai tout de suite su que tu étais différent des autres enfants.

Après ces quelques paroles, le curé Cadoret voulut approcher ses mains et sa bouche du bas du ventre de Mathias et ajouta :

— Regardons si on peut faire grandir ce petit piquet, ricana nerveusement le curé en fixant intensément l'organe de l'enfant.

Profitant de ce moment de rigolade et de la concentration du pervers sur la seule chose qui l'intéressait, Mathias releva prestement son pantalon et, d'une main, ramassa sa chemise à la volée, se dirigeant brusquement vers la porte du bureau. Le curé, surpris et estomaqué, n'eut aucune réaction. Mathias ouvrit cette porte, puis celle du presbytère et se retrouva soudainement dans la rue. Le sentiment de honte qui l'habitait était tellement intense qu'il n'avait qu'une seule idée en tête, s'enfuir, trouver refuge dans le réduit qui lui servait d'abri… et ne plus jamais en sortir.

Dans sa fuite, il emportait non seulement la souffrance morale qui l'assaillait, mais également la haine qui grandissait en lui dirigée, certes, contre le curé mais encore plus contre son frère, qu'il considérait désormais comme un traître et la cause de ses malheurs.

CHAPITRE XII

À la croisée des chemins

À l'autre bout de la ville, à la fabrique :

— Sale *bambino* ! Tu vas payer pour ce que tu m'as fait ! Tu mourais d'envie de te venger, n'est-ce pas ? Eh bien ! tu as raté ton coup et tu vas regretter de l'avoir raté, tu peux me faire confiance ! Je vais te faire payer ça, hurla Dominico en fixant le gamin avec des yeux noirs, tout en essayant de supporter la douleur que lui avait infligée Stanislas.

Quelques instants plus tôt, soit quelques minutes avant la fin du quart de travail, Stanislas avait subtilement suivi Dominico jusqu'à l'entrepôt où ce dernier, malgré l'interdiction formelle qui en était faite par les patrons de la fabrique, allait en cachette fumer son cigare. En se rappelant que son frère possédait un couteau de pêche dans sa poche, il lui vint l'idée de s'en servir pour poignarder Dominico. N'était-ce pas là un autre moyen de se rapprocher de sa rédemption, car en vengeant ainsi son frère et tous les autres employés, il ne ferait qu'œuvre de justice. Malheureusement pour Stanislas, il rata son coup, ne réussissant qu'à le blesser à l'épaule, la lame du couteau éraflant l'omoplate, alors qu'il visait initialement le cœur. Stanislas prenait maintenant conscience de l'erreur fatale qu'il avait commise. Ce cruel contremaître qui venait à peine d'allumer son cigare n'allait sans doute pas lui faire de cadeau. Étant beaucoup trop chétif, Stanislas savait qu'il n'allait pas faire le poids contre cet homme qui le fusillait littéralement du regard.

Avant même qu'il ne se décide à se sauver, l'homme l'empoigna solidement par le bras. Malgré sa douleur à l'épaule gauche, Dominico poussa Stanislas contre le cadre de la lourde porte de l'entrepôt et lui arracha d'un geste brusque le manche du couteau couvert de sang pour en enfoncer aussitôt la lame dans les mains de sa victime. Une douleur fulgurante traversa le corps du garçon qui demeura tout de même conscient. Stanislas commença à réciter difficilement le *Notre Père*, comme si cela pouvait le protéger.

— Ça ne sert à rien de réclamer l'aide de Dieu! Il ne m'a pas aidé, moi, quand tes semblables me martyrisaient, alors pourquoi viendrait-il aider un meurtrier? Il ne te pardonnera pas d'avoir eu l'intention de me tuer! Le meurtre est un terrible péché, dit l'Italien, fou de rage, en appuyant d'une nouvelle pression la lame du couteau sur ses mains.

Stanislas essaya courageusement de supporter la douleur, bien qu'il ne put empêcher les larmes de s'échapper de ses yeux.

— Eh bien! quels jolis yeux tu as, surtout quand ils sont mouillés. Il serait intéressant de savoir s'ils peuvent servir à autre chose… comme par exemple à éteindre ceci.

Dominico se pencha, saisit son cigare et en tira une dernière bouffée. Il approcha ensuite lentement… très lentement de l'œil gauche de Stanislas pour l'enfoncer profondément. C'en était trop, le garçon poussa un hurlement de douleur si strident qu'il surprit même le sadique contremaître. Du même coup, par un réflexe incontrôlé, la tête de Stanislas se projeta de côté. Mal lui en prit, car le cigare, instrument de torture improvisé par Dominico, quoique pratiquement éteint, conservait tout de même son intense chaleur et traça sur la joue de Stanislas une brûlure qui défigurerait à jamais le jeune garçon.

Le pauvre gamin souffrait le martyre. À peine conscient, il ne bougeait plus et le sang coulait de ses mains le long de ses bras et le reste de son corps. Il n'avait même plus assez d'énergie pour crier à l'aide et sombra dans l'inconscience.

Dominico, satisfait de son œuvre, retira alors le couteau, laissant apparaître sur les mains du garçon des plaies béantes. Stanislas s'affala au sol. L'homme saisit ensuite un pied-de-biche et s'acharna sur le corps inerte. Puis, persuadé de son bon droit et surtout de son immunité totale, il rentra chez lui sans même un dernier regard vers sa victime.

Attirés par ce vacarme provenant de l'entrepôt, des ouvriers et ouvrières s'y dirigèrent et découvrirent le petit martyr.

— Le pauvre garçon! cria un homme.

— Tu crois que c'est son contremaître qui lui a fait ça? questionna un autre homme en le rejoignant.

— Qu'est-ce que tu penses? Vraiment, ils vont trop loin. C'est la goutte qui fait déborder le vase! Ils nous traitent comme du bétail. J'en ai plus qu'assez! Tu as vu ce qu'ils ont fait à cet enfant? Avant, ils se contentaient de faire des ecchymoses et voilà maintenant qu'ils se permettent de les torturer. Comment réagirais-tu si on traitait ton fils ainsi? Rien qu'à y penser, j'en tremble de rage.

— Et tu crois qu'il était à la charge de quel contremaître?

— Le nom m'importe peu! Ce que cet homme a fait est inacceptable, peu importe qui c'est. Ces maudits contremaîtres se croient tout permis et les grands patrons les laissent faire, en plus. Si seulement il y avait plus de solidarité entre les ouvriers… Hélas! nous nous livrons ces guerres inutiles et cela nous divise alors que nous sommes en réalité dans le même bateau!

En entendant ces voix, Stanislas ouvrit son œil droit et aperçut de nombreux visages qui le fixaient d'un regard inquiet.

— Hé! ça va aller, petit? demanda l'homme au gamin qui respirait difficilement.

— Je… Je… Je crois, répondit courageusement Stanislas, sonné et le visage en feu.

Un homme courut chercher une serviette humide pour le soulager, au moment où Angela arrivait sur le lieu du crime. Lorsqu'elle aperçut le garçon aussi mal en point, elle ne put contenir ses larmes et se précipita pour l'enlacer. Des enfants ouvriers, quant à eux, regardaient la scène d'un air horrifié et certains éclatèrent en sanglots de peur qu'il leur arrive la même chose.

— C'est un petit Canadien français, je le reconnais, il habite dans mon quartier. Je l'emmène à l'hospice immédiatement, dit un homme en s'apprêtant à le prendre dans ses bras.

— NON ! Je vous en prie, surtout pas ! Ça va aller ! s'agita le gamin en essayant de se relever, malgré la douleur qu'il ressentait. Il ne voulait surtout pas, risquant d'être soigné au même endroit que son père, que celui-ci l'aperçoive dans cet état…

— Tu es sûr ? insista l'homme.

— Oui, merci, monsieur. Vous savez, je ne suis pas si blessé que ça. Le sang et les brûlures donnent l'illusion que c'est grave, mais ce ne sont que des égratignures, affirma-t-il, se mentant à lui-même alors qu'il avait toujours l'impression de brûler en enfer tant sa douleur était intense.

— Je n'aime pas ça. Son œil blessé coule. Ça serait vraiment plus sage d'aller te faire examiner d'urgence… J'ai bien peur que tu deviennes borgne, mon petit.

— J'irai, promis, mais par moi-même, d'accord ? rassura-t-il en s'apprêtant à partir, titubant sous le regard inquiet des ouvriers, mais surtout de celui d'Angela qui, déchirant son châle, s'empressa d'improviser des pansements qu'elle appliqua sur l'œil et sur la joue brûlée. Avec le dernier morceau, elle lui banda les mains du mieux qu'elle pouvait, ce qui fit cesser temporairement le saignement.

— Non, tu dois rester ! Ce n'est pas sérieux ! Tu ne vas pas t'en aller dans cet état ?

— Il le faut… Mon… Mon… Mon père m'a toujours dit que les marins n'ont pas… Ils n'ont besoin de la pitié de personne. Merci beaucoup de votre soutien, abrégea-t-il en se relevant avec difficulté.

La foule le regardait s'éloigner en titubant misérablement. Pour plusieurs d'entre eux, c'était le pire cas de maltraitance jamais vu envers un enfant ouvrier.

— Quel courage… Nous avons beaucoup à apprendre de lui, dit l'un des hommes en le regardant s'éloigner.

Par la portée de cet événement, Stanislas, qui évidemment l'ignorait, venait d'engendrer les balbutiements de l'unité entre Canadiens français et Irlandais…

***

Revenu chez lui, Mathias, outré, ne put trouver consolation qu'auprès de sa grenouille.

— Saint-Laurent, ô mon petit Saint-Laurent, si tu savais ce qui m'est arrivé. C'est horrible! Je ne savais pas que quelque chose d'aussi répugnant existait. On ne peut faire confiance à personne. Tu es vraiment mon seul ami dans ce monde, dit le gamin tremblant en serrant sa grenouille contre lui comme une peluche, revivant en pensée les terribles événements dont il avait été victime au presbytère, l'après-midi même.

Lorsque Stanislas, ensanglanté, arriva péniblement au hangar, Mathias, qui l'avait vu venir de loin, avait prestement verrouillé la porte.

— Mathias, ouvre-moi.

— Va-t-en! Je ne veux plus jamais te voir ici! Tu entends?! À partir d'aujourd'hui, tu n'habites plus ici! cria-t-il

— Mathias, qu'est-ce qui se passe?

— Qu'est-ce qui se passe?! Qu'est-ce qui se passe?! Tu ne devines pas! Tu es vraiment dégoûtant! Jamais je n'aurais pu imaginer ça de toi! Tu devrais avoir honte! Pas étonnant que tu n'aies jamais osé m'en parler!

— Mais de quoi parles-tu? demanda faiblement Stanislas, surpris du comportement soudain de son frère.

Les mots de Mathias déferlèrent, cinglants:

— Arrête de jouer les innocents! Tu l'as déjà fait pendant trop d'années! C'est bien toujours ceux-là! Monsieur joue les anges avec tout le monde, monsieur se croit le garçon le plus intelligent de la Terre, mais personne ne sait que monsieur n'est en fait qu'un pervers. Je comprends maintenant la complicité qui t'unissait au curé Cadoret et d'où provenait tout cet argent! Et dire que, tout naïvement, moi, je croyais que c'était uniquement que parce que le curé t'appréciait plus que moi! Mais non, c'était en échange de faveurs obscènes! Et délibérément en plus! Ce n'est même pas le curé Cadoret qui te forçait à le faire!

— Ah! je vois, conclut Stanislas sidéré. Toi aussi, tu t'es livré à une mascarade et tu t'es amusé à prendre ma place! Mais quelle idée de fou de rendre visite à monsieur le curé.

Mathias ne décoléra pas:

— Oui, mais j'ai bien fait! Tu oses l'appeler MONSIEUR. Ne perds pas ton temps. J'ai découvert ton vrai visage. Mais le pire, c'est que tu semblais apprécier les «petites faveurs» de Cadoret! cria-t-il à travers la porte.

— Si tu savais comme je le regrette, Mathias. Ne crois pas que j'aimais ça. J'ai commis une terrible erreur. Mais dans quel pétrin t'es-tu fourré pour subir le même sort que moi. Tu dois comprendre pourquoi je ne t'ai rien dit…

— Menteur! Je suis sûr que tu aimais ça! Tout cela était horrible, Stan, HORRIBLE! Je ne veux plus jamais vivre ça! Je ne peux pas te le pardonner.

— Mathias, s'il te plaît, ouvre-moi, je veux absolument que tu me vois, hurla à son tour Stanislas.

— Plus jamais! je t'ai dit. Juste à me regarder dans le miroir, je me remémore ton visage et cela me dégoûte. Au moins, mon reflet dans le miroir ne risque pas de me mentir, lui. Si tu savais comme je te hais! C'est toi qui m'as entraîné dans cette histoire de Cétacia. Tous nos problèmes ont commencé à partir de là! Je me fiche des cétacés et d'être un prince! Je ne veux plus jamais en entendre parler, tu entends? Tu iras régner seul sur ce royaume, je m'en fous! Toutes ces satanées épreuves ne font que nous causer du mal, dit Mathias en lançant le journal de bord d'Herman Melville par un trou de la porte. Tiens, prends ça, je ne veux plus rien savoir.

— Mathias… supplia Stanislas.

— Je te donne deux minutes pour quitter les lieux. C'est moi qui paie le loyer du hangar, après tout. N'y remets jamais plus les pieds!

— C'est entendu. Je comprends ce que tu ressens et je comprends aussi la haine que tu éprouves envers moi. Si tu ne veux plus de moi, je ne resterai pas ici plus longtemps. Au revoir, Mathias.

Oubliant sa douleur, Stanislas tourna les talons pour s'éloigner sans but précis.

Mathias ne lui rendit pas son salut. Le silence vint. Quelques minutes plus tard, il ouvrit la porte et s'aperçut que son frère n'était plus là. À cause de son entêtement, Mathias ignorait que son frère était grièvement blessé. S'il avait compris à quel point Stanislas était souffrant, il ne l'aurait sans doute pas laissé partir.

Hélas! leurs destins en décidaient autrement. Bien du temps allait s'écouler avant que leurs regards ne se croisent à nouveau…

Cétacia... Le peuple élu...

Chassé de son domicile par son frère, Stanislas s'est exilé à Boston où il s'est lié d'amitié avec une bande de pickpockets prétendant être à la recherche d'une Terre promise. Et si ces orphelins faisaient en réalité allusion à Cétacia sans même en être tout à fait conscients?

Stanislas soupçonne même leur chef d'être un lointain descendant des cétacés qui habitaient jadis sur la terre ferme...

Avec ces nouveaux disciples, celui qui se considère comme l'héritier de Cétacia est plus déterminé que jamais à délivrer son peuple. Devra-t-il encore commettre de terribles atrocités au nom de sa mission? Mathias serait-il le seul capable de le raisonner avant qu'il n'aille trop loin? La rupture entre les jumeaux serait-elle définitive? Qui parviendra à franchir les portes de Cétacia si tant est qu'elle existe? Jusqu'à quel point les sévices tant physiques que moraux subis par Matthias et Stanislas les marqueront-ils? Y aura-t-il vengeance?

Alors que Lowell plonge inexorablement vers une manifestation ouvrière qui ne sera pas sans conséquence, l'ambiguïté de la relation amour-haine qui s'est installée entre les deux frères les autorisera-t-elle à traverser les temps sombres qui les attendent dans *Le peuple élu,* le second tome de *Cétacia?*

TABLE DES MATIÈRES

L'utilisation de 1 074 lb de Enviro Scolaire 94 m
plutôt que du papier vierge réduit
votre empreinte écologique de :

Arbres : 9 arbres

Déchets solides : 1 123 lb

Eau : 8 882 gallons

Émissions atmosphériques : 2 919 lb

Sources : www.environmentaldefense.org / www.ofee.gov / www.ncasi.org / www.epa.gov

Le présent ouvrage édité par
Les publications L'Avantage
a été achevé d'imprimer en mai 2011

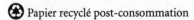 Papier recyclé post-consommation